LIVRARIA BUCHHOLZ

TELEF 315 73 57/8 — FAX 352 26 34

Jorge Sampaio

UM OLHAR
SOBRE PORTUGAL

JORGE SAMPAIO
responde às perguntas de

MARGARIDA MARANTE
ANTÓNIO ELOY
ANTÓNIO MEGA FERREIRA
JOSÉ MATTOSO
JOSÉ MEDEIROS FERREIRA
NUNO PORTAS

NOMEN

© Jorge Sampaio (1995)
e Nomen, Produtos de Comunicação Lda.

Edição: NOMEN, Produtos de Comunicação Lda.
Rua S. Filipe Néry, Bloco 2-7º A
1250 Lisboa
Tel. (1) 3886319
E-mail: nomen@telepac.pt

Editor: António Mega Ferreira
Capa: Manuel Rosa
Fotografia: Kenton Thatcher, gentilmente cedida pela revista Marie Claire

Impressão: Sociedade Tipográfica, S. A.
Distribuição: Diglivro

1ª edição: Novembro de 1995
Tiragem: 3 000 exemplares
Depósito Legal: 93722/95
ISBN 972-8188-03-X

NOTA DO EDITOR

Para a edição deste livro, convidaram-se dez personalidades do mundo da cultura, do jornalismo e da política. Pedia-se a cada um deles que colocasse por escrito dez perguntas a Jorge Sampaio, Presidente eleito da Câmara Municipal de Lisboa, ex-secretário-geral do Partido Socialista e candidato à Presidência da República.

Oito aceitaram o convite; seis enviaram os questionários em tempo útil; e Jorge Sampaio acrescentou o texto que abre o volume, sobre a forma como vê o cargo e as funções do Presidente da República.

No resto, o candidato presidencial pronuncia-se sobre a Cidade, o Ambiente, a Cultura, a Política, as Relações Internacionais e Portugal. Não é um programa político; é uma visão cultural. E é inquestionavelmente um olhar português sobre o que somos, o que nos espera e o que podemos fazer pelo nosso futuro.

O trabalho do Editor limitou-se à harmonização dos questionários e à fixação do texto das respostas.

A sequência de capítulos adoptada não é, no entanto, aleatória: reflecte o ponto de vista do Editor sobre a hierarquia de prioridades com que nos vamos defrontar ao virar do século – e sobre o papel que um dirigente político da dimensão de Jorge Sampaio pode vir a desempenhar no processo de transição para o próximo milénio.

O Presidente da República, vértice do triângulo constitucional

POR

JORGE SAMPAIO

Como se sabe, o Presidente da República ocupa, nos termos constitucionais, um dos três vértices do sistema de órgãos de soberania que exercem o poder político, sendo os outros dois ocupados pela Assembleia da República e pelo Governo.

Como também é do conhecimento geral, os pais Constituição portuguesa de 1976, atentos à nossa história remota e recente (instabilidade da I República e concentração de poderes do Estado Novo), pretenderam criar um sistema de governo que reunisse meia dúzia de condições: separação e equilíbrio de poderes, limitação e controlo mútuo dos órgãos de poder, estabilidade do sistema político, eficácia do governo e capacidade de superação de impasses políticos.

A experiência mostra que os autores da Constituição tiveram pleno sucesso. O sistema de governo português, de certo modo original no contexto dos sistemas do governo europeus e extra-europeus, tem provado bem. Verificou-se uma razoável estabilidade política, superior à média de muitos países europeus. Manteve-se um certo equilíbrio dos vários órgãos de soberania. Os mecanismos de controlo têm funcionado, mesmo nos períodos em que o Governo não se coibiu de uma cultura autoritária que os portugueses não apreciam. Os programas políticos e as reformas prometidas pelas maiorias parlamentares têm sido realizadas sempre que tem havido vontade política e determinação nesse sentido, não podendo imputar-se qualquer bloqueio insuperável ao Presidente da República ou ao sistema de governo. E o sistema demonstrou a sua flexibilidade no oferecimento de mecanismos e alternativas capazes de superar situações de eventual impasse, verificadas sobretudo no seu primeiro período de funcionamento.

Por isso, a introduzirem-se alterações, elas não devem atingir o radicalismo que alguns advogam. Rejeito, por exemplo, a introdução de um sistema de eleição indirecta do Presidente ou a adulteração do poder de dissolução da A.R. No máximo, poderão conceber-se modificações que se mostrem necessárias à clarificação ou ao aperfeiçoamento deste ou daquele aspecto.

Já coisa diferente se passa em outras esferas da nossa vida política. Tenho hoje por evidente que é conveniente proceder à revisão da Constituição para abrir o sistema político a um maior protagonismo da sociedade civil. As propostas que têm sido avançadas no sentido do reforço do instituto do referendo, da abertura dos lugares elegíveis à candidatura de cidadãos independentes, da introdução da iniciativa legislativa popular, etc., deverão ser oportunamente concretizadas e receberão o meu apoio activo como cidadão e como Presidente. Adiante voltarei ao assunto.

Por agora salientaria somente que este apoio aos referidos aperfeiçoamentos institucionais em nada afecta a minha adesão incondicional ao sistema de governo constitucionalmente estruturado. Em termos gerais sou um adepto convicto da sua continuidade, revendo-me nesse aspecto, na tradição nascida com a Constituição de 1976. Como candidato a Presidente da República assumo o compromisso não só de cumprir estritamente a Constituição, mas também de defender a manutenção do sistema semipresidencial na especial configuração que os portugueses escolheram e têm ajudado a modelar ao longo de quase 20 anos. Estou seguro que nenhum outro candidato será capaz de assumir um compromisso tão determinado e tão incondicional, dando, com isso continuidade – sem prejuízo da inovação – à exemplar magistratura presidencial de Mário Soares.

A estabilidade: valor político essencial

O sistema de governo português funda-se nas ideias de equilíbrio, separação, controlabilidade, governabilidade e estabilidade.

De todas estas ideias, a estabilidade política é uma das que mais se relaciona com a função presidencial. O Presidente da República deve ser um agente da estabilidade e da segurança institucional e não um elemento adicional de perturbação política.

Esta interpretação da função presidencial num sistema de governo como o nosso tem várias implicações. A mais significativa em termos simples e não técnico-jurídicos, consiste em que ao PR não cabe governar. Daí a necessidade de o Presidente da República respeitar o quadro da Assembleia da República – e, indirectamente, a vontade do povo português, expressa em eleições legislativas – sobre quem deve desempenhar funções governativas. É à Assembleia da República que cabe o papel principal na definição do Governo e da governação.

As eleições presidenciais não visam decidir quem governa, mas sim definir quem deverá actuar como o supremo agente da estabilização. As eleições presidenciais não são uma segunda volta das eleições legislativas, através da qual os ganhadores consolidam ganhos ou os perdedores atenuam ou remedeiam perdas.

As eleições presidenciais não se destinam a criar condições para a formação de novos governos, mas sim a garantir que os governos gerados pela Assembleia da República governem. O Presidente não deve agir como chefe da oposição (tal como não deve agir como chefe da maioria). O Presidente da República não pode deixar de honrar o compromisso de trabalhar com qualquer governo e de o fiscalizar, qualquer que seja a sua cor política. Quebrar este compromisso. para além de significar desprezo pelo valor político da estabilidade, denuncia desprezo também pelo espírito do sistema de governo constitucionalmente consagrado.

Por isso entendo que a dissolução da Assembleia da República para efeito de antecipação de eleições é um instrumento excepcional, de último recurso. É claro que nos termos constitucionais o Presidente é o derradeiro avaliador das circunstâncias que justificam a dissolução e assim deve continuar a ser. Por isso, não é possível traçar de antemão cenários fixos. No entanto, um princípio parece inquestionável: a arma da dissolução nunca deve ser brandida como instrumento de chantagem, para obter concessões da parte do Governo ou da AR, nem como meio de forçar à alteração artificial de maiorias parlamentares. Deve ser utilizada quando há impasses institucionais (por exemplo, não se consegue formar um governo no quadro parlamentar existente), ou quando em casos extremos por factores próprios da dinâmica política, se gerou um manifesto, prolongado e irreconciliável desajustamento entre a maioria da Assembleia e o eleitorado. Sublinho mais uma vez: trata-se de um instrumento de último recurso que só pode ser utilizado quando outro não houver, designadamente quando a Assembleia, confessada ou visivelmente, não conseguir produzir um Governo no seu seio.

Outros valores fundamentais:
o equilíbrio e a controlabilidade

O sistema de governo da Constituição portuguesa é um sistema de equilíbrio de poderes entre três órgãos de soberania: o Presidente, a Assembleia e o Governo, funcionando os tribunais como ramo independente em relação às instâncias do poder político supremo.

A noção de equilíbrio de poderes a que faço apelo é clara: nenhum dos três órgãos pode pretender o predomínio sobre os outros, ou o monopólio da legitimidade para exercer o poder político. A pretensão de um Governo em agir como centro absoluto e dominante da vontade política, advogada nomeadamente pelo Primeiro-Ministro e pelos governos dos últimos dez anos, corresponde a uma visão insustentável da intenção constitucional. E essa atitude concentracionária seria igualmente incorrecta se transportada para a Presidência da República: o sistema português não se identifica com o presidencialismo de Primeiro-Ministro, ou com o presidencialismo da tradição caudilhista latino-americana, ou com a liderança presidencial da V República Francesa.

Isto não significa que se possa falar de um equilíbrio imóvel, rigidamente configurado para se desenrolar sempre da mesma forma e em qualquer tipo de circunstâncias. Uma das características do sistema do governo português é o seu dinamismo e versatilidade. Ele foi imaginado para que o tipo de equilíbrios que se estabelecem entre os vários órgãos de soberania varie consoante a correlação política do momento.

Por exemplo, numa situação de manifesta subordinação da Assembleia da República perante o Governo – como a que se verificou na última legislatura – o Presidente poderá e deverá compensar essa subordinação, ou pelo menos contrariar uma estratégia de substimação parlamentar e presidencial. Inversamente, se um Governo, por algum motivo, cair numa situação de debilidade ou dependência excessiva perante o Parlamento, o Presidente da República possui meios para minorar as consequências dessa situação. Em nenhuma circunstância o Presidente da República deverá utilizar os seus poderes para acentuar situações de dependência ou debilidade de um dos outros dois órgãos. Os poderes constitucionais do Presidente devem ser utilizados como instrumento de manutenção ou de recuperação de equilíbrios.

Para além destes e doutros princípios, que valerão em qualquer situação, não seria sensato prometer que agirei sempre da forma x ou y, quaisquer que sejam as circunstâncias. O Presidente deve ter abertura de espírito e imaginação suficientes para saber adaptar a sua atitude face às outras instituições consoante as exigências do momento. Esta é uma das vantagens do sistema semipresidencial: não há um espartilho institucional, como aquele a que estão sujeitos certos chefes de Estado de outros sistemas de governo típicos.

Esta responsabilidade na preservação ou criação de equilíbrios permite, desde logo, concluir que o Presidente da República personifica um outro poder: uma espécie de poder moderador, ou poder regulador, como o que existiu em Portugal noutros contextos históricos. O Presidente é o garante do sistema constitucional e do sistema de Governo. É o supremo garante do regular funcionamento das instituições.

A função moderadora transparece nos poderes que a Constituição confia ao Presidente. O Presidente é um órgão de legitimação do Governo, mas também de controlo e de limitação de certas opções programáticas. O Presidente goza de efectivos poderes de decisão. E o Presidente dispõe de uma ampla margem de intervenção cívica, social e política.

Os poderes presidenciais

O Presidente não governa, não executa políticas, não elabora nem aprova Leis ou Decretos-Lei. Isso cabe à Assembleia da República e ao Governo, escorados em programas sufragados directa ou indirectamente pelo eleitorado. Se o Presidente tiver de intervir será para preservar ou restaurar equilíbrios, político-institucionais ou sociais, ou para impedir abusos do poder das maiorias, ou para defender os valores constitucionais (como as liberdades, os direitos da oposição, os direitos de participação, etc.). Mas esta contenção no exercício da função presidencial não pode traduzir-se num papel meramente decorativo do Presidente. Não é isso que a Constituição quer, não é isso que os cidadãos esperam quando lhe conferem o seu mandato por sufrágio directo, pelo que não é lícito ao Presidente abdicar, voluntariamente ou não, de algum dos seus poderes e responsabilidades.

O Presidente não está impedido de fazer suas certas bandeiras.

Nesta perspectiva, o Presidente pode, em áreas particularmente críticas, patrocinar ou identificar-se com certos objectivos cívicos e sociais, mesmo que não correspondam a prioridades da A.R. e do Governo.

A existência de algumas divergências de opinião entre Presidente da República e Governo não denuncia ou denota qualquer patologia do sistema de governo ou do seu funcionamento. Nada impede que o Presidente possa manifestar certas discordâncias pelos meios que entender, desde que o faça no quadro constitucional. Isto é, utilizando os poderes que a Constituição lhe entrega justamente com o intuito de permitir que ele expresse o seu dissenso. Designadamente, pode utilizar o veto político que, ao contrário do que os Governos liderados por Cavaco Silva quiseram fazer crer, é um poder normal, cujo uso não significa qualquer ruptura ou confrontação político-institucional, ou o pedido de fiscalização preventiva (e sucessiva) da constitucionalidade.

Não abdicarei de utilizar o veto político se sentir ameaçados alguns dos valores que sempre guiaram a minha vida e a minha actividade política e que são também eminentes valores constitucionais: coesão social, solidariedade, liberdade, direitos fundamentais, participação, igualdade de oportunidades, particularmente entre homens e mulheres, etc.

Não hesitarei em pedir a fiscalização preventiva da constitucionalidade ao Tribunal Constitucional, designadamente quando se trate de opções legislativas de grande impacto na opinião pública. Os cidadãos têm encarado com naturalidade o accionamento desse mecanismo pelo Presidente. Continuarei a accioná-lo. Mas não o utilizarei como arma política para obter concessões do Governo ou da AR, para aliviar a consciência, ou simplesmente com o objectivo demagógico de ganhar simpatia popular.

O uso pelo Presidente destes e de outros poderes constitucionais em nenhum caso pode ser interpretado como uma invasão das áreas do Parlamento ou do Governo, nem como uma declaração de hostilidade. Sem embargo, sabemos que a noção de solidariedade institucional, defendida pelos Governos de Cavaco Silva contra o Presidente Mário Soares e inspirada no «quero, posso e mando», ia nesse sentido. Sucede, porém, que em nenhum local a Constituição obriga o PR a aceitar, defender, ou legitimar tudo o que o Governo ou a maioria parlamentar entendem promover. Do que a Constituição fala é de uma relação de responsabilidade do Governo para com o PR. E entendo que tem de haver respeito e lealdade institucionais recíprocos. Dois órgãos de soberania não podem guerrear-se. Têm de servir Portugal e para isso devem cooperar. Mas a cooperação e a colaboração na prossecução do bem público não exigem que haja sempre uma opinião comum sobre o modo de o acautelar. Ponto é que cada órgão se mantenha na sua esfera de atribuições constitucionais. Considero que a actuação do Presidente pode sair consideravelmente beneficiada com o recurso a órgãos de consulta como o Conselho de Estado, o Conselho Superior de Defesa Nacional, etc.

Recorrerei sempre que possível ao Conselho de Estado, órgão cuja importância pode ser mais realçada, particularmente se nele tiverem assento todos os partidos relevantes.

Para além dos poderes que têm que ver com a limitação e o controlo dos outros órgãos, o Presidente dispõe de poderes de iniciativa, participação ou decisão final em algumas áreas de sensível relevância política. Ocupar-me-ei aqui de apenas algumas: nomeações, área da política de defesa, área da política externa, amnistias, indultos e comutações de penas.

No que se refere às nomeações que nos termos da Constituição, cabem ao PR, sob proposta de outro órgão, distinguiria pelo menos dois grupos: as nomeações de titularas de certos cargos particularmente relevantes (Ministros da República nas regiões autónomas, Presidente do Tribunal de Contas, Procurador Geral da República, chefias militares, etc); e as nomeações de membros do Governo.

Quanto às primeiras nomeações, entendo que a função do Presidente não é assinar de cruz opções alheias. Não deixarei também aqui, de procurar honrar o espírito constitucional: se são tão importantes para o equilíbrio das instituições, ao ponto de se requerer a decisão do Presidente, sob proposta de outro órgão, não faz sentido que aquele abdique da sua responsabilidade, aceitando sem qualquer apreciação de mérito os nomes que lhe são indicados. Devem ser escolhas concertadas.

Quanto à nomeação de membros do Governo a questão é diferente: entendo que o Presidente só deve agir e opor-se às escolhas do Primeiro-Ministro quando houver abuso ou desvio de poder, como aconteceu recentemente, quando o então Primeiro-Ministro Cavaco Silva pretendeu alterar a estrutura do Governo por motivos eleitoralistas.

Sendo o Governo o órgão de condução da política geral do País, compete-lhe também conduzir a política de defesa e a política externa (salvo no caso de Timor e Macau, com regimes especiais). Não há sobre isso qualquer dúvida. O Presidente não tem qualquer domínio reservado nessas áreas. Mas a Constituição entrega-lhe alguns poderes específicos, o que indica que se pretendeu que as suas responsabilidades fossem mais fortes nessas áreas do que noutras. Por exemplo, representa a República, é o Comandante Supremo das Forças Armadas, nomeia as chefias militares e os embaixadores, ratifica tratados internacionais, etc. Trata-se de poderes reais, não de mera fachada. Isto é: o Presidente tem uma efectiva faculdade de decisão.

Nas áreas da defesa e da política externa, o Presidente não tem um direito de participação positiva na sua definição. Mas tem um direito ao acompanhamento e dispõe de poderes de impedimento: não é possível conduzir nenhuma política externa ou de defesa eficaz sem o Presidente ou contra o Presidente. Para além disso, o Presidente é o garante da continuidade da Política externa.

O princípio da lealdade institucional, que referi anteriormente, assume aí maior vigor. Isso implica que o Presidente não pode tomar iniciativas que não estejam concertadas com o Governo. Mas implica também um direito mais forte do Presidente a ser informado e uma maior atenção do Governo no respeitante às opiniões do Presidente. Além disso, entendo que este tem de ser chamado, em certas situações, a pronunciar-se sobre o envolvimento de efectivos militares nacionais em missões no estrangeiro.

Quanto às amnistias, indultos e comutações de penas, é bom que se esteja consciente que têm sido por vezes utilizados não como instrumentos selectivos de política prisional e de ressocialização, mas como meios indiscriminados de desagravamento da pressão sobre o sistema prisional. A banalização das amnistias, indultas e perdões pode minar a autoridade da Justiça. O Presidente, a A.R. e o Governo deverão fazer um esforço concertado no sentido que tais práticas obedeçam, como devem, a um sentido profundo de justiça e não a fatalidade logísticas ou outras razões de circunstância.

A visão que tenho vindo a enunciar sobre as responsabilidades, objectivos e poderes presidenciais torna imperativa uma forte inflexão na metodologia das relações de trabalho entre o Presidente e o Governo. Saliento três conceitos essenciais: comunicação, concertação e pactuação.

Promoverei uma maior articulação e comunicação entre Presidente e Governo. Embora as reuniões semanais, mais ou menos formais, entre Presidente e Primeiro-Ministro sejam essenciais, o direito ao acompanhamento não se esgota nelas. Comunicação interactiva é condição essencial para o lançamento da ideia de articulação estratégica entre a actuação do Presidente e a actuação da A.R. e do Governo, de modo a atingir patamares superiores de afirmação de Portugal no Mundo.

A propósito de articulação estratégica, importa insistir em que o sistema semipresidencial é um sistema dúctil que permite, inclusive, o exercício pactuado de alguns poderes. Isso não tem sido experimentado, ou não tem sido possível. Procurarei combinar ou coordenar boa parte da minha actuação com o Governo, particularmente nas áreas da política externa e da defesa, onde a Constituição parece ser mais exigente no que toca à intervenção do Presidente. A contratualização do exercício do poder é susceptível de trazer mais-valias políticas e sociais para os portugueses e para Portugal. Com os poderes que a Constituição lhe confere, o Presidente pode ser muito útil ao País.

As bandeiras do Presidente da República

Referi anteriormente que o Presidente deve fazer suas certas bandeiras de acção política e cívica. Sendo certo que não cabe ao Presidente da República governar, convém precisar o que entendo como bandeiras da acção presidencial. Há matérias que estão dependentes de profundas alterações ao nível jurídico e institucional, requerendo inclusive uma revisão da Constituição. Nessas, a margem de actuação presidencial será reduzida, embora não inexistente (encorajamento e apoio às propostas correspondentes). Mas há outras áreas que requerem apenas uma firme vontade e uma fina sensibilidade. Nesta áreas não excluo a hipótese de promover um diagnóstico profundo de problemas e soluções, porventura através da elaboração de livros brancos, elaborados por personalidades escolhidas pela sua idoneidade científica, publicamente reconhecida.

Como orientação geral, entendo ainda, que o Presidente da República deve prestar particular atenção e assistência às minorias desfavorecidas, discriminadas, marginalizadas, quaisquer que elas sejam: sociais, económicas, culturais, políticas, etc. O Presidente deve procurar compreender os seus pontos de vista e necessidades e contribuir para a eliminação de todas as discriminações. O Presidente deve velar por que nenhuma reclamação socialmente relevante deixe de ser ouvida e considerada.

Esta postura é hoje mais imperativa do que nunca. Os desequilíbrios sociais acentuaram-se dramaticamente nos últimos anos, em Portugal, fruto de uma visão estritamente tecnocrática e cega perante certos dramas sociais. O Presidente, justamente por não ter responsabilidades governativas, e por não estar condicionado pela necessidade de atingir objectivos óptimos do ponto de vista económico (mas porventura péssimos do ponto de vista humano e social), poderá e deverá ser uma voz de alerta. Uma espécie de consciência crítica do Poder, ou de «provedoria política» dos sectores sociais menos poderosos ou menos influentes.

Há que tomar conta dos que foram vítimas de exclusão numa década de governos guiados pela vocação tecnocrática de Cavaco Silva. Há fenómenos preocupantes de rompimento da coesão social. A reforma do Estado Providência – que eu sei ser necessária – não pode ser feita a qualquer custo. Há equilíbrios que teremos de refazer, sob pena de ameaçar a coesão social. E também a paz social.

Por outro lado, o Presidente pode desempenhar uma importante função pedagógica a favor da criação de condições de efectiva igualdade de oportunidades entre homens e mulheres. Esse será um dos aspectos centrais do meu discurso e do meu empenhamento.

Outro tema onde o Presidente tem amplo campo de manobra, porque se trata de uma área de consenso nacional, é a da promoção da língua portuguesa enquanto veículo de aproximação de muitos milhões de pessoas nos quatro cantos do Mundo. O encorajamento de espaços de lusofonia será uma das prioridades da minha actuação externa.

Por outro lado, creio que uma das missões do Presidente poderá ser a divulgação e patrocínio do princípio da subsidiariedade nas relações entre o poder central e as regiões e os municípios. Há coisas que as regiões autónomas e, sobretudo, as autarquias (municípios, freguesias, regiões administrativas), podem fazer, não havendo qualquer razão para serem assumidas pelo Estado, como são hoje.

O Presidente da República
e a revisão constitucional

A revisão constitucional compete à Assembleia da República. O Presidente não tem de interferir. Mesmo que se prefigurasse a possibilidade de os poderes presidenciais serem afectados, porventura comprimidos, não vejo que seja lícito ao Presidente opor-se de qualquer modo. Quanto muito, no caso extremo (e praticamente impossível, no quadro político e constitucional actual) de a revisão implicar que o Presidente passasse a ser um mero corta-fitas, teria de ser ponderada uma tomada de posição firme. Mas não me parece que a compressão drástica dos poderes seja uma possibilidade a encarar seriamente. E na minha opinião pessoal, de cidadão, acho que a repartição de poderes tal como está hoje é muito satisfatória.

Na Presidência, continuarei a pronunciar-me a favor da introdução de certas benfeitorias no sistema político.

Ao nível do sistema de governo, mantenho-me favorável à chamada moção de censura construtiva. Continuo a pensar que é um valioso instrumento de estabilização do sistema. E, no cômputo global, não me parece que se traduza numa limitação inadmissível dos poderes do Presidente. Mas mesmo que se traduzisse, não seria pelo facto de me candidatar a Presidente que mudaria uma opinião já muito anteriormente defendida.

Por outro lado, partilho da opinião daqueles que entendem que o sistema político português deve aceder a novos patamares de participação dos cidadãos na vida política.

Alguns dos argumentos clássicos para rejeitar a participação directa dos cidadãos na tomada de decisões políticas foram ultrapassados. As novas tecnologias da informação e da comunicação abrem a possibilidade de se submeter aos cidadãos questões da vida e da gestão quotidiana. A participação directa tornou-se cada vez mais viável. E as pessoas querem isso. Interpreto muitos dos movimentos espontâneos recentes (portagens, propinas, etc) como uma expressão da vitalidade dos cidadãos e do seu desejo de assumirem um protagonismo cívico que em muitos casos lhes tem sido negado. As pessoas querem ter uma palavra a dizer quando as decisões tocam o seu dia a dia e colocam graves questões de justiça. Não aceitam, e bem, que isso lhes seja negado.

Por isso, sou adepto do alargamento do referendo a questões que a Constituição ou a lei ainda colocam fora do seu âmbito. Quer no que toca ao referendo local, quer no que toca ao referendo nacional. Mas não aceito a ideia do referendo para fazer a revisão constitucional. Por outro lado, encaro com grande simpatia a ideia de abrir a um certo número de cidadãos a possibilidade de propor a realização de referendos.

Cabe ao Presidente convocar, por iniciativa de outro órgão, o referendo nacional. Nessa perspectiva, serei receptivo a movimentos da sociedade civil no sentido de serem submetidas a referendo questões fulcrais, sem prejuízo da observância da Constituição e da Lei.

Nomeadamente apoiarei um referendo sobre a Europa. Não sobre questões já adquiridas, porque entendo que não se pode fazer referendos retrospectivos. Mas penso que deverá entregar-se aos cidadãos alguns aspectos da futura Europa, aquela que resultará da Conferência Intergovernamental de 1996.

Por outro lado, acho necessário que se adopte um sistema eleitoral que, embora mantendo as regras de proporcionalidade já atingido, permita ao eleitor conhecer o seu deputado. A personalização das eleições e da escolha do representante podem ser factor importante de superação do défice de identificação dos cidadãos com o sistema político.

A reponderação das nossas leis eleitorais não deve restringir-se à legislação que rege a eleição da Assembleia da República. As eleições locais e regionais deverão também ser reformuladas, de modo a que os cargos autárquicos e regionais sejam acessíveis a cidadãos não filiados nem enquadrados partidariamente.

No âmbito das eleições presidenciais há que enfrentar a questão complexa do voto dos emigrantes, avaliando e esclarecendo as suas várias vertentes. A questão coloca-se sobretudo em relação aos 3 ou 4 milhões que não mantém uma ligação efectiva à colectividade nacional e aos problemas do país.

Trata-se de um problema que compete à A.R. decidir. Mas não escondo a minha opinião: não vejo possibilidade de lhes conferir a possibilidade de decidirem a eleição presidencial. Não se me afigura aceitável que os votos de cidadãos que se desligaram há muito da vida do País possam ser decisivos contra o sentido da vontade daqueles que cá vivem. Eles não são decisivos nas eleições para a Assembleia da República (onde elegem menos de 2% dos deputados), para as assembleias regionais, para as autarquias. Por que é que isso deveria suceder nas eleições presidenciais? E esta opinião não se deve a qualquer desconsideração dos nossos compatriotas do estrangeiro. Deve-se a que nunca ninguém conseguiu responder a algumas perguntas muito práticas: como é que se evita que alguém que já tem também a nacionalidade de outro País, que pode nele votar e ser eleito, possa também votar e ser eleito em Portugal? Como é que se evita que um luso-descendente de terceira e quarta geração, que não fala sequer português, e nunca visitou, porventura, Portugal, possa ser eleito ou participar na eleição do Presidente da República? Como é que se justifica que pessoas que se desligaram por completo da vida política portuguesa, não pagam impostos, não participam das dificuldades e dos problemas diários da comunidade, possam decidir quem desempenhará o cargo presidencial? Como é que se controla e se assegura a veracidade de uma eleição presidencial que é decidida em assembleias eleitorais realizadas fora do País?

Agitar a bandeira do voto dos emigrantes visa sobretudo desencadear emoções. Só não será assim quando a questão for desapaixonadamente analisada, de modo a atingir uma resposta consistente e democraticamente sustentável às questões acima enunciadas.

Noutro campo da cidadania, impressionam certas fragilidades que ainda afectam o nosso sistema de protecção de direitos fundamentais. Apesar de a Constituição portuguesa ser das mais arrojadas na definição do elenco de direitos, continua a ser notório um certo défice de meios de garantia. Urge que a Constituição adira a novos e mais eficazes instrumentos de protecção dos direitos fundamentais. Mecanismos como o chamado recurso de amparo, que tenho defendido, devem ser seriamente equacionados.

Finalmente, uma nota sobre uma proposta que tem vindo a público e que poderá afectar os poderes do Presidente da República. Trata-se da proposta de extinção do cargo de Ministro da República nas Regiões Autónomas, em relação à qual não posso deixar de manifestar desacordo, particularmente se isso implicar que o representante do Estado nessas regiões passe a ser, directamente, o Presidente. Para este continuar a ser garante das autonomias regionais, como é hoje, é necessário evitar situações de conflito. E estas poderiam ser frequentes se ao Presidente coubesse, por exemplo, o vigente exercício do veto sobre legislação regional.

O perfil do Presidente da República:
isento, dialogante, inconformista

Uma palavra final sobre um aspecto que é habitualmente referido pelos cultores da ciência política: por mais estabilizadas e enraizadas que estejam as instituições políticas, o desempenho dos órgãos depende sempre em grau maior ou menor do perfil de quem é seu titular. Por isso pode dizer-se que há perfis melhores e perfis piores para o exercício de cada cargo.

Da análise que se fez nas páginas anteriores resulta com meridiana clareza que o Presidente da República de um sistema semipresidencial, orientado ao equilíbrio, ao controlo, à estabilidade, à autocontenção, deve possuir certas características pessoais, profissionais e políticas. Deve certamente ter uma apurada noção da coisa pública e ser conhecedor dos problemas nacionais, mas deve ser capaz de resistir à tentação de se inserir na governação e de ser o protagonista central do sistema político. Deve ter espírito independente e inconformista. Deve ter capacidade de diálogo com a sociedade e com os outros órgãos de poder. Deve ter condições para ser agente de consenso. Deve ser anti-autoritário. Deve inspirar confiança – ou, pelo menos, não hostilidade – a todas as forças sociais. Deve ser um catalizador das iniciativas sociais. Deve ser um homem de cultura e um espírito humanista. Deve estar profundamente vinculado à salvaguarda da independência nacional.

Deve ser capaz de ser Presidente com qualquer Governo e em qualquer cenário, com isenção e com independência. Isso implica a inexistência de ressentimentos em relação a este ou àquele partido, a este ou aquele líder.

Os portugueses julgarão se o meu trajecto pessoal e político e se as minhas características pessoais se adaptam a essas exigências.

A CIDADE

No seu discurso sobre o governo de Lisboa aparece como uma constante a ideia de que sem o reforço da cidadania não há reforma da cidade que privilegie a melhoria da qualidade de vida dos seus habitantes, especialmente dos mais desprotegidos pelos rendimentos, empregos ou habitat. A questão que lhe ponho é a de saber como, para lá do discurso, se podem criar espaços à expressão dos cidadãos; como se pode reduzir a opacidade e a surdez dos serviços às manifestações da «sociedade civil» – especialmente aos seus segmentos mais desprotegidos; em suma, como se podem criar os consensos imprescindíveis em torno das soluções para os problemas urbanos, ambientais, sociais, culturais, mas sobretudo para os mais evidentemente conflituais?

A questão da cidadania é tão essencial quanto o é a identificação das pessoas com o lugar a que pertencem. Interligada com uma concepção dialogante de participação surge como uma das determinantes mais actuais e cruciais para a governação democrática das cidades. E, principalmente, é uma garantia de que a concretização das políticas municipais se traduz em melhoria efectiva das condições de vida e da ligação das populações com as cidades e os bairros em que vivem.

Ampliar os espaços e as oportunidades da participação cívica no governo das cidades passa por duas condições fundamentais:

– a democratização e facilidade no acesso à informação;

– a «aproximação» dos poderes de decisão das populações.

A democratização e abertura das instituições são objectivos políticos essenciais dos próximos tempos. Há que reconhecer as muitas insuficiências que permanecem nesse domínio. E se a reforma do sistema político e institucional está na ordem do dia, ela tem de consistir não só na revitalização da «democracia delegada», mas, também, no acolhimento de fórmulas inovadoras de participação cívica directa.

A erradicação ou, melhor, a redução da opacidade da administração municipal é, obviamente, uma missão complexa. Passa, tanto pelos esforços de reforma conduzidos pelos gestores autárquicos, como pela atitude exigente dos cidadãos quanto ao desempenho dos organismos públicos. Desburocratizar procedimentos administrativos internos, descentralizar poderes e competências para as freguesias, criar provedores municipais, consolidar a figura do gestor de processo como responsável de toda a sua condução dentro de quaisquer serviços e perante o munícipe requerente; ou, ainda, como está a acontecer em vários bairros municipais, a consolidação de comissões de moradores como medianeiros entre as populações (afinal, sem representantes) e a administração municipal, tudo são formas já testadas de reduzir a opacidade, aumentar a eficácia de resposta ao serviço do cidadão e de garantir a transparência.

A nível autárquico, as atribuições de governo respeitam directamente a questões da vida quotidiana dos cidadãos. É um estímulo para os autarcas e uma garantia do empenhamento e corresponsabilização dos munícipes.

Compromisso que se constrói através de um diálogo perseverante, do estabelecimento de consenso naquilo que é fundamental e do desenvolvimento de modernas fórmulas de contratualização.

Algumas das ideias mestras da «estratégia para Lisboa» visam aumentar a «competitividade» da capital na atracção de actividades e recursos no quadro das

capitais, ou outras grandes cidades do espaço euro-peu, na expectativa de que no todo nacional teria reflexos positivos essa criação de vantagens compa-rativas ou de oportunidades ditas de «excelência». Apesar de sabermos que a estratégia de Lisboa foi apontada num período de recessão nacional e inter-nacional, seria interessante registar um (primeiro) balanço dessa ambição, focando os sucessos e as dificuldades em articular para tal os interesses e recursos do Município, dos departamentos governa-mentais e das estratégias dos investidores privados ou institucionais.

Os diversos «rankings» de cidades que por aí vão surgindo mostram que Lisboa reforçou, nos últimos anos, a sua cotação de atractividade de pessoas e inves-timentos.

O debate e a reflexão sobre a problemática urbana e a experiência de gestão municipal que tive a honra de liderar, desde 1990, despertaram curiosidades, obser-vações e apreciações positivas, por vezes entusiásticas.

O facto de Lisboa ter sido escolhida para a presi-dência das Eurocidades (durante dois anos) e da Fede-ração Mundial de Cidades Unidas (FMCU) e de outros Foruns e ainda a continuidade da posição na UCCLA, é disso testemunho evidente e gratificante.

É cedo para avaliar, com rigor, o impacto desses esforços na atractividade e competitividade de Lisboa no quadro das cidades europeias. Falamos de fenónemos que têm as suas incidências no médio e longo prazos e se manifestam, frequentemente, com alguma discrição.

O importante é que se pôs «Lisboa no mapa» e nos roteiros das grandes cidades. Estão lançados os dados, abertas as portas. Visíveis são os sinais de modernização das infra-estruturas urbanas de Lisboa. Se tivermos em conta os atributos naturais e históricos que fazem os encantos desta cidade e constituem uma poderosa «mais-valia» para o seu progresso, aí temos os factores e valores decisivos para a projecção internacional de Lisboa.

Trata-se, agora, de desenvolver uma estratégia de «marketing de cidade» unindo esforços e meios municipais com responsabilidade e meios governamentais, uns e outros indispensáveis a esse objectivo.

Ainda na linha da estratégia de desenvolvimento – em que o Município de Lisboa foi pioneiro – sobressai a questão política da potencial conflitualidade entre alguns dos objectivos maiores que foram escolhidos e a magnitude dos problemas herdados. Pensamos, especialmente, na prioridade às acessibilidades (na prática, dadas as competências, ao tráfego rodo-

viário...) versus prioridade à qualidade ambiental do espaço público; ou, ainda, na prioridade ao terciário empresarial e superior versus prioridade à melhoria de habitação das camadas sociais e etárias que não encontram no mercado a resposta às suas possibilidades de solvência...

O eterno conflito entre recursos (escassos) e as múltiplas áreas de necessidades (todas elas prioritárias!) para sua afectação é o problema maior de quem tem responsabilidades de gestão autárquica em Portugal.

O regime democrático saído do 25 de Abril devolveu competências e dignidade aos municípios. Mas, infelizmente, não os tem dotado com os equivalentes recursos, designadamente os financeiros. Os últimos anos foram particularmente gravosos neste domínio. E colocam a revisão das Finanças Locais como tarefa prioritária da Legislatura agora iniciada.

Lisboa chegou aos finais dos anos 80 com carências de infra-estruturas e equipamentos básicos – acessibilidades, habitação, saneamento básico, instalações escolares e desportivas, etc. – que outras cidades europeias solucionaram nos anos 50/70.

A cidade acumulou carências em todos os domínios. Mesmo o mais hábil gestor de recursos, quando tão limitados, terá sérias dificuldades em encontrar uma forma equilibrada de contemplar, simultaneamente, a dotação da cidade com as indispensáveis infra-estruturas viárias e de funcionamento, com os equipamentos culturais e sociais modernos, adequados aos dias em que vivemos, e com as acções de qualificação do espaço público e ambiental.

Em todo o caso, em Lisboa procurámos, – na medida dos recursos mobilizáveis –, avançar nas diversas frentes.

Investindo nas infra-estruturas da mobilidade urbana e na habitação para as camadas mais carenciadas da população, ao mesmo tempo que avançámos para a criação das condições materiais e imateriais para a qualificação do espaço urbano e dos serviços municipais. Os Planos Estratégico, Director Municipal e de Desenvolvimento Organizacional, e as múltiplas acções que deles resultaram, são disso exemplo. Mas também se pode observar a construção de novos parques urbanos e de estacionamento, o novo ordenamento da Zona Ribeirinha e a qualificação da Zona Oriental, nestes últimos casos relacionados com entidades específicas mas relativamente às quais a articulação com o Município é indispensável.

Com a ultimação das grandes obras em curso, estão criadas as condições para passar do ciclo da infraestruturação da cidade ao ciclo da sua qualificação.

E por lembrarmos as questões da habitação – tendo em conta que se trata de uma acção de competências repartidas e, no caso de Lisboa, especialmente mal definidas – parece-me oportuno ouvi-lo sobre a orientação do Município da Capital nesta matéria sensível que se poderia formular como o «papel urbano da habitação social». Algumas interrogações ocorrem. Por exemplo, identifica a política de habitação com o realojamento das populações dos «bairros de lata», a face mais visível e mediática da exclusão e que se «reduz» à clássica dezena e meia de milhares de famílias?

De modo algum a política de habitação se pode confinar ao realojamento das populações dos «bairros de lata». Esta é uma prioridade incontornável e uma missão complexa, porque o realojamento, em condições dignas, das populações dos «bairros de lata», não se soluciona unicamente com a transferência para novos prédios. Carece de um conjunto de condições e acções que garantam modalidades de «habitat» adequadas às necessidades, características e hábitos das famílias a realojar. Mas há que reconhecer que a pressão – justa – para conseguir casa é de tal ordem, que nem sempre é possível simultaneamente realizar o físico e intervir no social.

O realojamento constitui uma vertente essencial mas, ao mesmo tempo, a mais simplista e redutora das políticas de habitação. É indispensável fazê-lo, mas tem-se traduzido em fenómenos de massificação, quase sempre de desenraizamento das populações «transplantadas» dos bairros de barracas para os clássicos bairros sociais. Os múltiplos problemas com estes bairros resultam da própria forma como o Estado tem equacionado (e realizado), tradicionalmente, os realojamentos.

É absolutamente indispensável promover novas soluções para o realojamento. Soluções que tenham a participação das populações interessadas em todo o processo; que permitam diversificar as modalidades de promoção e de acesso, não as reduzindo à clássica construção dos bairros pelo Estado e ao seu arrendamento; que promovam os realojamentos de forma integrada nos tecidos urbanos e não, unicamente, nas periferias; que diversifiquem as morfologias arquitectónicas, evitando a tradicional uniformidade e monotonia dos bairros sociais; e, também, dando mais importância e prioridade de execução aos arranjos exteriores e à qualidade urbanística.

Vê interesse e meios de suster a hemorragia da classe média e mais jovem para as periferias?

Há, obviamente, todo o interesse em suster os processos de envelhecimento da população nas áreas históricas e consolidadas das cidades e em preservar a natureza multifuncional e interclassista dos centros das grandes cidades. A hemorragia da população jovem é particularmente preocupante, na medida em que os jovens são a garantia da vitalidade demográfica e da animação da cidade.

Estes fenómenos, inerentes à dinâmica das modernas sociedades urbanas, têm vindo a marcar, negativamente, a evolução das cidades, um pouco por todo o lado.

Trata-se, contudo, de processos reversíveis se forem adoptadas medidas e instrumentos de gestão urbana que contrariem as tendências para a desertificação. Dar prioridade às políticas de reabilitação urbana pode propiciar esse objectivo. Mas não tenhamos ilusões de que essa prioridade, de profundos reflexos positivos em múltiplos domínios, não pode concretizar-se sem envelopes financeiros de relevo.

Vê maneira de o Município conduzir a iniciativa privada para a oferta de casas para venda e sobretudo aluguer, novas ou reabilitadas, mas acessíveis a esses segmentos médios da procura?

É desejável – e possível – que o mercado da habitação possa satisfazer as necessidades de alojamento, em Lisboa, dos estratos sociais médios. A cidade só ganha com isso, como já referi. Ao Município não compete conduzir a iniciativa privada nesse sentido, mas pode sensibilizar e motivar promotores e proprietários para dirigirem a oferta para esses segmentos do mercado. Os programas municipais de reabilitação, e instrumentos como o RECRIA, têm demonstrado virtualidades neste domínio, sobretudo no mercado do arrendamento. Outros mecanismos poderão ser accionados. Mas esta, como outras matérias, transcendem as competências e os meios de actuação dos Municípios. A Lei do Arrendamento e as condições de crédito, por exemplo, dependem do exercício de poderes do Estado.

Como entende as funções do Município nesta área? Como urbanizador, como promotor-senhorio, como construtor para venda, como licenciador regulador dos tipos de oferta, privada e institucional, cabendo ao Estado o subsídio à solvência?

Aos Municípios cabem, essencialmente, funções de licenciamento e de regulação através dos instrumentos de planeamento e gestão urbanística. E também é das suas atribuições a produção e disponibilização de solos urbanizados, na medida das suas capacidades financeiras.

Sou de opinião que os Municípios deverão reduzir, ou abandonar, progressivamente, a promoção dos bairros, dando lugar à promoção cooperativa e à promoção privada de custos controlados.

Medidas de política social, como a concessão de subsídios à solvência não cabem, claramente, nas actuais atribuições dos Municípios e, muito menos, nos seus orçamentos.

Hoje reconhece-se que a instituição das «áreas metropolitanas» é tão insatisfatória que pouco ou nada contribuiu para o governo das interdependências do território urbanizado da Grande Lisboa. Parece urgente re-inventar as instituições metropolitanas.

Daí as perguntas ao responsável pela capital metropolitana: que funções devem ser delegadas com prioridade, quer pela Administração Central, quer pelos Municípios integrantes da Grande Lisboa? E como deverá ser encarada a representação no poder executivo e deliberativo metropolitano?

Numa primeira fase, as funções naturais das Áreas Metropolitanas são as relacionadas com a gestão das redes de transportes, o saneamento e os recursos naturais e ambientais. E, também, todas as atribuições respeitantes ao planeamento do território e à programação de investimentos ainda que, neste último domínio, necessariamente em negociação com o Estado. Não se compreende que projectos como o da nova Ponte sobre o Tejo, a CRIL e a CREL sejam de decisão e programação exclusivamente governamentais. Elas afectam, de forma profunda, a gestão territorial e funcional dos Municípios da AML.

A gestão do solo e do parque habitacional deverá tender para a integração na gestão metropolitana. O seu equacionamento, sob esta perspectiva, redundaria em evidentes ganhos recíprocos para os Municípios, para além de tornar mais eficazes as opções de cada um deles nestes domínios.

O fortalecimento e eficácia de actuação das Áreas Metropolitanas requer, necessariamente, fórmulas diferentes das actuais. Fórmulas que ponderem a representação dos Municípios em função do seu peso populacional e eleitoral e que ultrapassem o mero modelo associativo.

Como entende a solidariedade intermunicipal atendendo a que os problemas nem são proporcionais ao número de residentes, nem à capitação das receitas actuais?

A fórmula actual de atribuição de fundos, consignada na Lei das Finanças Locais, não contempla, efectivamente, realidades bem palpáveis como os «custos de capitalidade» (ou, noutros casos, de uma sobreocupação temporária na época estival). Penso que o modelo a seguir deveria assentar em critérios de perequação, ou seja, na redistribuição das dotações de acordo com as necessidades e as solicitações efectivas de cada autarquia.

Dada a importância estratégica do sector de serviços numa metrópole moderna é possível desenvolver um modelo policêntrico, «em rede», ou Lisboa-capital resistirá à inerente redistribuição de oportunidades?

Não há que recear eventuais perversidades de um modelo policêntrico metropolitano para o futuro de Lisboa e no reequilíbrio das suas relações com os municípios limítrofes. Lisboa conservará, sempre, o estatuto de «centro dos centros», no quadro de uma nova articulação funcional com a Área Metropolitana. Sempre nos propusemos levar a cabo esse objectivo de forma equilibrada, mediante a qualificação das funções e estruturas urbanas da capital e reduzindo o seu carácter de cidade terciária. O excessivo peso centralizador e polarizador, que Lisboa ainda conserva, constitui um factor de atractividade pela negativa. Contribui para a desqualificação das periferias-dormitório, gera situações de congestionamento e degradação, saldando-se em elevados custos sociais de funcionamento que todos reconhecemos.

O intervencionismo intempestivo e autónomo dos últimos governos, ou melhor, dos vários Ministérios, nos territórios municipais, tem sido crescente e parece reforçar-se em sede legislativa com a instituição dos chamados Planos Especiais – aliás em frequente contradição com os Planos Directores que também são objecto de acompanhamento e ratificação governamental. Por outro lado, emergem os grandes projectos urbanos não só públicos mas também privados, em geral ligados aos grupos financeiros fortes, interessados na rendibilidade do mobiliário empresarial, dos condomínios e das grandes superfícies de consumo / lazer.

O sistema tradicional de planeamento aparece, com frequência, pela reduzida adaptatividade enquanto «regulamento administrativo», como um entrave, mais do que uma orientação positiva para o incontornável processo negocial exigido por este tipo de empreendimentos.

Mas, por outro lado, a continuidade do espaço público urbano parece posta em risco por esta tendência geral para a privatização ou segmentação do domínio público: a cidade de «ilhas de excelência e sedução» contrastando com a cidade comum residual, empobrecida.

Parece-lhe este discurso crítico pertinente? E se o é, que estratégias podem opôr os Municípios e outras insti-

tuições públicas para reconduzir tais tendências sem perder as suas eventuais potencialidades?

Esse discurso é realista. Estamos a falar, naturalmente, de questões de grande actualidade, porque reveladoras de uma tendência emergente, com fortes implicações no futuro do ordenamento e vivências urbanos.

O planeamento e a gestão urbanísticos e territoriais são competências que a Administração Pública não pode alienar. Trata-se, afinal, de requisitos de salvaguarda dos recursos e condições da nossa vivência colectiva. Já não é admissível, no entanto, que a articulação entre os diversos níveis de planeamento se faça com a prevalência sistemática dos instrumentos sectoriais globais. Neste domínio é necessário saber compatibilizar. Infelizmente não tem sido essa a orientação do Estado, nos últimos tempos.

Temos, hoje, suficiente experiência do «urbanismo normativo» e do «urbanismo negocial» para trabalhar no sentido de elaborar instrumentos de planeamento e gestão que, de forma equilibrada e eficaz, respondam às realidades económicas e às necessidades sociais contemporâneas. E, sobretudo, que mantenham aquela dose de flexibilidade que lhes permite acompanhar a evolução dos processos sociais.

Concretamente, em Portugal impõe-se uma profunda revisão dos instrumentos urbanísticos, no sentido de uma articulação coerente de conceitos e normas, do seu «realismo» operativo, e da simplificação processual.

A recente (entre nós) tendência para o desenvolvimento dos Condomínios, de 1ª residência e de lazer, coloca novas e delicadas questões da gestão territorial e urbana. Uma tendência que, contudo, encerra virtualidades que deveremos promover, de forma regulada e equilibrada.

Através dos Condomínios é possível potenciar o alargamento da participação e corresponsabilização dos munícipes na gestão dos seus bairros e da cidade (em condições que os serviços municipais não conseguem fazer), sem que tal implique, necessariamente, uma limitação do conceito e do usufruto, do espaço público.

Curiosamente a polémica da arquitectura na cidade tornou-se, por influência dos media e pela agressividade de algumas realizações volumosas das últimas décadas – aliás reflectindo o ecletismo hoje dominante no panorama da arquitectura mundial – num critério de julgamento dos políticos locais, defendendo uns a paciência liberal, senão a permissividade, neste domínio, e outros um intervencionismo cultural, selectivo, sem explicarem, em geral, em que sentido ou em nome de que paradigmas ou tendên-

cias tal selecção ou censura se deveria fazer. Nem quem a deveria fazer...

Quais são os parâmetros, ou critérios, ou os procedimentos que, a seu ver, e em face da prática no Pelouro que assumiu, lhe parecem ter a necessária e suficiente legitimidade para constituírem uma linha orientadora da prática arquitectónica, quer na construção privada, quer no espaço público?

Não é aos gestores municipais que cabe dirigir a concepção arquitectónica e urbanística das cidades. Essa é tarefa dos profissionais – arquitectos e urbanistas «à cabeça –,e da Comunidade em que se formam e exercem a sua actividade, através dos seus diversos canais de expressão e decisão.

Os Regulamentos de planeamento e gestão municipais deverão, tão só, estabelecer o quadro de regras genéricas a observar.

Regras que têm a ver, fundamentalmente, com os impactos urbanísticos objectivos: densidades, equipamentos, áreas livres para espaço público, cérceas, etc.. Mas os Regulamentos não podem limitar a criatividade dos projectistas, antes devem abster-se das intromissões nos domínios formais e estéticos. Os instrumentos normativos devem ter uma filosofia aberta (que não permissiva) e resultar de um processo de elaboração e aprovação participado.

A concepção arquitectónica e urbanística é, claramente, uma área que, no essencial, transcende a actuação municipal e que será tanto mais profícua quanto maior for o grau de liberdade, o sentido de responsabilidade cultural dos principais Agentes e a intervenção crítica das Comunidades.

A qualidade da concepção arquitectónica e do espaço público de Lisboa é, nas últimas décadas, claramente insatisfatória, mesmo má.

Questão importante seria conhecer as causas dessa situação.

Os Regulamentos? Os gestores e técnicos municipais que apreciam e aprovam os projectos?

Seguramente que eles terão as suas responsabilidades. Mas é redutor (e enganador) ficarmo-nos por aí.

Agora que o Município dispõe de novos critérios dotados de generalidade e abstração, seria útil promover um debate esclarecedor sobre tão importante questão. Pela minha parte entendo despropositada e contraproducente a manutenção de espartilhos administrativos, não justificados por estritas razões urbanísticas, à liberdade criativa dos profissionais. Maior liberdade mas também maior responsabilidade e efectiva responsabilização, é o que defendo.

O AMBIENTE

QUESTIONÁRIO DE
ANTÓNIO ELOY

Uma ética ambiental e valores sociais são hoje necessários para ultrapassar as barreiras dos individualismos e intervir numa colectividade organizada, respeitando as liberdades individuais e a autonomia.

Este enunciado é um dos que poderão estabelecer algum consenso político/social. A teoria, as ideias confrontam-se todavia com a sociedade e a sua organização por interesses. Aplicando a casos concretos como a barragem de Foz Côa, a via da Meia Encosta ou a limitação à construção em zonas com estatuto de protecção, o conflito entre ecologia e economia transparece. E os políticos são cada vez mais gestores.

Pensa que é possível dissociar a actividade política do imediatismo da sua repercussão económica e tomar medidas de ruptura que possam tendencialmente aproximar economia e ecologia?

O conjunto de valores que estruturam uma sociedade e asseguram a sua reprodução e a sua identidade ao longo da História não é imutável. Conhecemos hoje episódios históricos que vieram incorporar no património das sociedades valores e dimensões novos para o seu tempo, que a maior ou menor prazo se operacionalizaram em critérios pelos quais os políticos julgam e são julgados.

Neste sentido, a recente emergência da ecologia como constitutiva de um novo conjunto de valores sociais coloca problemas relativamente semelhantes àqueles que foram sendo resolvidos – ainda imperfeitamente – com a irrupção dos valores de natureza social e de distribuição no quadro economicista do crescimento económico, tal como ele era visto não há mais de cinquenta anos. Julgo que, neste sentido, se trata sobretudo de um problema da incorporação de uma nova dimensão e de um novo critério de avaliação da acção política e das políticas em si, mais do que da substituição de um modelo decisional enformado exclusivamente pela economia (que nenhuma sociedade contemporânea já adopta) por um outro modelo de decisão exclusivamente enformado pela ecologia.

«Todas as formas de vida exploram o ambiente e o desenvolvimento das civilizações é o resultado progressivo dessa exploração mediante o exercício da inteligência. Assim enunciada, esta ideia toca-nos pela

sua absoluta evidência: mas não é suficiente aceitá-
-la, temos que extrair-lhe as consequências», dizia
Bertrand de Jouvenel, em 1957.

Só a muito custo é que a humanidade vai extraindo as
consequências e assumindo as responsabilidades do
exercício da sua inteligência. Como resultado desse
facto têm vindo a desenvolver-se todo o tipo de fundamentalismos.

Encontra-se em fase decisória a implementação do sistema nacional de tratamento de resíduos tóxicos. Ima-
ginemos que era Lisboa o Município escolhido, por
se verificar que do ponto de vista técnico/ambiental,
de análise de custos dos sistemas anexos, transpor-
te e transferência e da previsão do desenvolvimento
do sistema era o mais adequado para uma das uni-
dades desse sistema.

Num cenário destes que atitude que tomaria enquanto Presidente da Câmara? E como enquadraria/resolveria
uma questão destas no quadro da regionalização do
território?

O problema central que as sociedades contemporâneas defrontam é não só o do seu desenvolvimento
e da partilha dos seus frutos (no quadro aliás de um
optimismo tecnológico que tingia de cor de rosa o futuro), mas também o da partilha dos custos do desenvolvimento, que cada vez mais se apresenta como um

fenómeno paradoxal de produção do bem e do seu contrário.

A questão que coloca é central para a assunção social de dois fenómenos muito importantes: em primeiro lugar, que o próprio desenvolvimento acarreta custos e que estes custos têm de ser partilhados. A recusa contemporânea de entender esta questão tem conduzido àquilo que se convencionou designar pelo síndroma do NIMB (que se poderá talvez traduzir de forma bastante livre pela percepção de que muito pouca gente está disposta a assumir pessoalmente e individualmente os custos do processo social do desenvolvimento). A questão é sobretudo a de testar e corrigir o processo que conduz ao NIMB, de forma a demonstrar que esta reacção pode bloquear o processo de desenvolvimento mais do que resolver episodicamente um contexto marcado pela recusa individual, local ou regional, de assumir o fardo de uma transformação que não é apenas local.

Tenho para mim que a informação, a transparência e a associação dos cidadãos aos processos de decisão, bem como a capacidade de poder associar-se ao conteúdo dos processos tecnológicos que apoiam o desenvolvimento, poderão substituir a recusa pela participação e permitir que a rejeição dos custos de algum «progresso» seja substituída pela assunção responsável e crítica do progresso com toda a sua ambivalência.

A minha experiência como Presidente de Câmara sublinha o facto de os impasses tecnológicos e as questões de escolhas tecnológicas serem sobretudo problemas de escolha social, para a qual os quadros de participação dos cidadãos (a região, o município, a freguesia) oferecem ou devem oferecer maiores oportunidades de presença activa.

Segundo o Banco Mundial, entre 1990 e 2030 a população mundial aumentará em 3,7 mil milhões, a procura de alimentos duplicará e a produção industrial triplicará a nível mundial, aumentando 6 vezes nos países industrializados. Entre outras medidas para contrariar os efeitos negativos desse facto o Banco indica «diminuir os poderes de interesses instalados e construir instituições fortes». O insucesso dessa recomendação, até agora, tem sido total.

Qual poderá ser o nosso papel, no quadro da União Europeia, para contrariar o progressivo desinvestimento nos direitos globais?

A grande novidade desta segunda metade do século XX é a da «Terra Comum», ou seja, a de compartilharmos os recursos finitos e o destino do Planeta Terra. É claro que esta percepção do destino comum antecede em muito o reconhecimento da necessidade de codificar os valores globais e ainda mais a necessidade de uma administração global de processos à escala global.

Apesar de tudo, deve reconhecer-se que avançou substancialmente o reconhecimento social da existência de valores comuns a toda a humanidade – a necessidade de assegurar a Biodiversidade, o papel central dos Oceanos, o reconhecimento da escala global das alterações climáticas, etc.; no entanto, como refere, a implementação prática da administração global defronta obstáculos importantes, entre os quais não há apenas falta de recursos, mas também, diga-se francamente, conflito entre as soberanias nacionais e a administração global e uma história de neoplasia burocrática que cerca as organizações internacionais e que não predispõe o cidadão a contribuir para a manutenção de mais um secretariado internacional...

A influência, neste contexto, de um pequeno país como Portugal pode, no entanto, ser aumentada. Para isso, é essencial em primeiro lugar que Portugal dispa o bibe de bom aluno em que o quiseram encerrar e se assuma como um parceiro idêntico e activo da construção europeia, usando e ousando no direito de proposta e afirmando-se pelo exemplo. A posição de Portugal tem necessariamente de ser activa e inovadora, escolhendo os domínios de acção, com atenção à limitação dos novos recursos mas não deixando que esta limitação seja um espartilho ou uma mordaça para a afirmação necessária na construção da Europa e das instituições europeias.

Hoje é manifesto que a única Europa que se desenvolve é a económica. A construção de uma Europa política, socialmente mais justa e ambientalmente mais equilibrada, vai dando lugar a um monstro de muitas cabeças que procura a uniformização em nome da economia, não «reconhece» actividades que não se insiram na lógica mais liberal de mercado (actividades agrícolas, nomeadamente) e se encerra nas suas fronteiras por autismo. Esta Europa tem cada vez menos a ver com a ideia que a inspirou. E o nacionalismo volta a agitar, qual fantasma ou espectro, todo o velho continente. A falta de capacidade, argumentos ou projectos pode levar a um conflito com Espanha, agora, a propósito dos rios.

Os problemas de ambiente não conhecem fronteiras, mas têm a ver com as culturas. Neste contexto como vê o futuro da Europa e o desenvolvimento das relações com Espanha?

A questão é formulada com um tom de pessimismo com que não concordo. A história europeia desde o fim da guerra é certamente ambivalente e contraditória mas o panorama actual da União Europeia está bem longe das ruínas da 2ª Guerra Mundial. Nesta medida, julgo que os fundadores da Europa não estiveram também de acordo com o António Eloy.

Dito isto, julgo que o próprio desenvolvimento europeu do pós-guerra trouxe consigo novas complexidades e novos conflitos e ainda permitiu que conflitos e tensões, abafadas e suprimidas durante longo tempo por regimes autoritários, vissem o dia.

Julgo que este meio século de construção europeia assistiu à emergência de uma cultura europeia – no sentido da revelação da nova identidade comum de europeus em face de terceiros – e também a uma revalorização das culturas regionais, abafadas pelo estado nacional. Neste sentido, podemos esperar que a discussão do acesso das regiões a recursos comuns assuma maior peso, tendendo a transformar questões apenas nacionais na procura de equilíbrios mais complexos em que as regiões também são actores, num quadro institucional europeu que também está preparado para dirimir conflitos e não apenas procurar consensos.

No entanto, julgo que a história das relações entre os países ibéricos na época democrática nos deixa ser optimistas mesmo na referência a um conflito que como alguns futurólogos dizem vai ser o conflito do século XXI – a disputa da Água.

Hoje os problemas ambientais nacionais e mundiais estão reconhecidos, as soluções também existem, bem como, em muitos casos, dúvidas e metodologias diferentes para os contrariar.

Carlo Rosselli afirmava o seguinte: «Não há na sociedade fins que não sejam igualmente fins do indivíduo enquanto personalidade moral. Esses fins não são viáveis a menos que sejam profundamente vividos nas próprias consciências». E, enfaticamente, colocava a questão: «transformação das coisas ou das consciências?». A questão que ele levantava no terreno social coloco-lha hoje no campo ambiental.

A dualidade do material e do moral apenas encontra um novo desafio com a irrupção de um mundo físico e biológico não humano, que é reconhecido como limite às sociedades humanas, e também pela progressiva constituição de um conjunto de direitos que não são apenas apanágio da natureza humana – os direitos dos animais, os direitos da Natureza, etc.

A nova perspectiva, todavia, continua a ser claramente antropocêntrica, sendo importante acompanhar a emergência de uma perspectiva geocêntrica onde a identidade do não-humano é vista em si mesma e não como um elemento de utilidade ou desutilidade para as sociedades humanas.

A questão da «dívida» é uma das que a nível internacional tem sido mais abordada e dos pontos de vista mais diversos. Desde campanhas pela transferência de percentagens do orçamento dos países ricos para os mais pobres, anulação das dívidas, supressão dos serviços das mesmas, troca da dívida pela conservação da natureza, alteração dos sistemas de impostos (imposto ambiental), empolgadas discussões se têm desenvolvido. O assunto é complexo. A solidariedade internacional exige que os problemas financeiros das trocas de bens e da circulação de capitais seja abordado. E que os sistemas de financiamento das convenções internacionais sejam implementados. Qual é a sua posição em relação a este problema?

A renegociação da dívida dos países do Terceiro Mundo – suponho ser essa dívida que a questão evoca – é certamente um assunto complexo mas urgente. O progresso de uma grande parte da humanidade não pode continuar hipotecado a uma euforia de investimento alimentado na década de 70 pelas instituições internacionais e também pelo sistema bancário mundial, mesmo que esse investimento se tenha dissipado muitas vezes em corrupção, assistência técnica ou obras faraónicas de ruína certa. É tanto mais necessária essa renegociação quanto o estado presente apenas confirma que o serviço da dívida, ele próprio, constitui um obstáculo ao desenvolvimento de grande parte dos países do Sul. Este raciocínio aliás tem conduzido a uma tendência, impensável há alguns anos atrás, que é a do perdão da dívida, «tout court». Também se tem recorrido, nomeadamente na América Central, a algumas experiências de troca de dívida por investimento ambiental mas a avaliação global destas experiências ainda está por fazer.

Em termos gerais, deve saudar-se, apesar dos inconvenientes que a curto prazo isso traz à economia portuguesa e dos desafios de reconversão que lhe coloca, a liberalização das trocas internacionais e a maior abertura dos mercados do norte aos produtos primários e industriais do sul, introduzindo uma medida de correcção tardia e ainda parcial à assimetria dos mercados.

As relações entre este desejado desenvolvimento do comércio internacional e o ambiente à escala global e regional são matéria de estudos recentes embora com conclusões muitas vezes dissonantes.

No entanto, esta questão é claramente diferente do problema do financiamento e implementação das Convenções internacionais em matéria de ambiente, em que seria ilusório pensar que a retoma económica do Terceiro Mundo (ou dos países que correspondem à imagem datada de Terceiro Mundo) contribuirá para a resolução do problema. Parece mais realista reconhecer que os grandes contribuintes líquidos para uma política ambiental à escala mundial deverão ser os países desenvolvidos que são, aliás, os grandes responsáveis pela degradação ambiental global.

Um dos problemas nacionais refere-se à implementação da legislação em várias áreas mas generalizadamente no que concerne a legislação ambiental. Outro é a globalmente anárquica ocupação do território. Um terceiro é a articulação deficiente das várias instâncias responsáveis pela execução das políticas. As estruturas de organização administrativa têm sido incapazes de se dotar de meios eficazes para desenvolver a valorização ambiental e sustentadas políticas para o território.

Qual pensa que devia ser na nossa organização político/administrativa o papel e protagonismo do «ambiente» de forma a contrariar actuais «inércias»?

Julgo que esta questão refere três níveis muito diferentes de problemas. A grande questão para Portugal é sem dúvida a do ordenamento – ainda possível – do território de que são testemunhos negativos a desertificação do interior, a concentração de ocupação humana do litoral, a construção indiscriminada nas grandes aglomerações, etc. A esta grande questão tem de corresponder uma estratégia de desenvolvimento

económico e espacial do País, que tem estado globalmente ausente, e onde o Ambiente, ou melhor, a carac-
terização bio-física do espaço, oferece princípios de
programação espacial, sobretudo ao nível macro, que
não podem deixar de ser incorporados e orientar aquelas estratégias.

A segunda questão tem a ver com a exequibilidade
e a implementação da legislação ambiental, que pode
contribuir para um modelo defensivo e proteccionista
daquelas estratégias mas que não as substitui. Aqui
deve reconhecer-se que se tem oscilado em Portugal
entre legislar muito e cumprir pouco, indiciando um
desajustamento entre o modelo legislativo, os comportamentos sociais e a capacidade administrativa que urge
ultrapassar, criando melhor sintonia entre a sociedade e
a Lei sem a qual esta é apenas um protesto de virtude.

A terceira questão que levanta é a da articulação
ou integração das políticas que se referem ao Ambiente.
Deve reconhecer-se que a intervenção ambiental é, pela
própria natureza do objecto, transversal e se presta mal
à intervenção vertical que caracteriza grande parte da
administração portuguesa. Julgo que, sem criar mais e
desnecessária burocracia, seria útil consagrar o princípio de reuniões periódicas do Conselho de Ministros
dedicadas ao Ambiente, no sentido de ajustar políticas
e procedimentos que muitas vezes se ignoram, e, por
outro lado, melhorar a representação dos vários inte-

resses da chamada sociedade civil nos órgãos de aconselhamento e decisão em matéria de Ambiente. Uma presença forte do movimento associativo ambiental nesta fase parece-me ser o melhor antídoto para aquilo que no seu texto designa por «inércias».

Os temas da política do ambiente são, aparentemente, temas de consenso político/social. Não há todavia área política que se possa mais estruturalmente virar contra todas as opções ideológicas. Contra o emprego em nome do património histórico. Contra o liberalismo económico em nome da defesa de habitats. Contra a maioria em nome da perenidade do vivo.

O socialismo democrático defende os direitos sociais e igualdade de oportunidades no quadro da democracia liberal.

Hoje, novos paradigmas têm que se desenvolver para uma sociedade sustentada. Do seu ponto de vista como é que as ideologias, e concretamente o socialismo democrático ou a social democracia, podem responder à emergência de novos actores sociais e problemas que não são enquadráveis nem resolúveis por qualquer tipo de voluntarismo cívico?

Se é certo que o Ambiente entrou na linguagem quotidiana dos Portugueses e existe um acordo genérico sobre a importância das questões ambientais na sociedade moderna não estou já tão convicto que uma parte substancial das declarações pró-Ambiente não contenham algum grão de homenagem do vício à virtude.

Isto apenas em parte explica como se pode passar de um consenso genérico a oposições pontuais fortes e ainda a uma generalizada recusa em suportar docilmente custos ambientais globais. A outra parte da explicação reside certamente na multiplicação de interesses e na complexidade organizativa das sociedades modernas que, apesar de toda a apregoada massificação, são portadores de uma enorme e feliz diversidade.

O socialismo democrático nasceu de um conflito central do capitalismo do século XIX relativo à propriedade dos meios de produção e à questão de iniquidade. Aderiu ao modelo democrático sobretudo por influência dos socialismos do Norte da Europa, mas tem demonstrado assinalável capacidade de renovação e de produção de um pensamento próprio sobre as questões novas que as sociedades se colocam à medida que se despe de uma utopia acabada do Futuro. Desta capacidade de pensar ideológica e politicamente o Novo são exemplos o debate moderno sobre a Escola, as propostas de Willy Brandt sobre a desigualdade à escala mundial e mais recentemente a equação Desenvolvimento – Ambiente coordenada por G.H. Brundtland. Esta inovação permanente, aliás, não tem sido cozinhada num modelo iluminista fechado e estéril mas convertendo o voluntarismo cívico, que muitas vezes aponta os caminhos, em poderosos movimentos sociais que reforçam e pedem a inovação.

Certos «discursos» de protecção da natureza podem ser a base dos mais perigosos fundamentalismos que a nossa sociedade tem pela frente. Mistura de intolerância e milenarismo, de egoísmo nacionalista ou localista e de divinização do natural podem apresentar-se como cadinho para a proliferação de todo o tipo de organizações terroristas ou seitas religiosas a defender o primado da natureza. O nazismo baseava-se na ideologia da mãe natureza, o Estado Novo condicionava o desenvolvimento industrial e defendia a «casinha» portuguesa.

Como pensa que se pode evitar que estas sementes se desenvolvam?

Como explica o enorme vazio ambiental, salvo raras excepções, que em termos teóricos, de propostas, iniciativas e acção executiva caracterizaram e continuam a caracterizar o Partido Socialista?

Julgo que Desenvolvimento e Ambiente são questões de necessário compromisso, que hoje deverá substituir, entre outros, o mito do Bom Selvagem. Não creio, aliás, que aquelas desemboquem, tão catastroficamente como António Eloy alude, em movimentos terroristas ou integristas. Parece-me também que é exactamente pela procura transparente, aberta e responsável desses compromissos, em nome da recusa da Pobreza e da sobrevivência do Planeta Terra, que se podem conter as interpretações extremas de recusa de pensar simultaneamente os dois imperativos modernos: a libertação da Pobreza e a defesa do Ambiente.

Não estou certo de poder concordar com António Eloy quando refere o vazio ambiental de propostas, iniciativas e acção executiva do PS, muito embora possa conceder naturalmente que, afastado do Poder durante dez anos, o PS não tenha podido demonstrar no Executivo os méritos das suas propostas ambientais. Quanto a estas recordo a evocação de um estilo de vida alternativo que perpassou desde 1975 pelas páginas dos Programas eleitorais do PS, recordo a síntese Desenvolvimento – Ambiente esboçada no programa eleitoral do Dr. Vítor Constâncio e também penso lembrar-me de iniciativas legislativas frequentes em temas como as Áreas Protegidas, a Avaliação do Impacto Ambiental, a utilização de gasolina sem chumbo, etc. Será isto pouco? É-o porventura, mas permita-me afirmar que o Ambiente não foi nem esquecido nem menorizado na actividade do Partido Socialista como aliás o não foi por muitas outras forças políticas portuguesas. E aqui reside o mérito da questão: é que o Ambiente veio para ficar na cena política nacional.

Para terminar este questionário, que reconheço não é neutro e pode nalguns pressupostos ou enunciados ser contradito, gostava que comentasse a seguinte frase: «Se um homem gasta parte do dia a vaguear pelos bosques, porque gosta deles, correrá o risco de ser considerado mandrião. No entanto, se gastar o dia todo a depredar o mesmo bosque e a esburacar a terra, será tomado por um cidadão industrioso e empreendedor. Como se o único interesse duma vila pelos seus bosques fosse deitá-los abaixo». Certo que em todos os casos sandálias de vento continuarão a conduzir os nossos sonhos e desejos.

Robinson e Prometeu foram os modelos de relação Homem-Natureza do passado. Sabemos que hoje apenas servem para salpicar de erudição alguns textos. Falta-nos ainda o modelo do Homem Moderno e respeitador do Ambiente. A palavra é dos criadores!

A CULTURA

QUESTIONÁRIO DE
ANTÓNIO MEGA FERREIRA

A globalização dos mercados e da cultura constitui uma ameaça à identidade cultural nacional?

Depende de nós.

A verdade é que a Cultura, com C grande ou mais pequeno, sempre foi «global» e «local» ao mesmo tempo. Antes da globalização dos mercados, muito antes, já a Cultura circulava. Ela circulava com as comunidades humanas. Por causa disso sempre se «misturou», sempre foi «mistura». A condição da Cultura é a sua humanidade e, neste sentido, ela só pode ser global.

Mas é verdade que a globalização dos mercados, numa época em que grande parte da produção de cultura é também produção de mercadoria teve duas consequências simultâneas: por um lado, globalizou a sua circulação como nunca, com relevo para as «artes industriais», ou seja, as que, como diria Walter

71

Benjamin, se reproduzem mecanicamente; por outro lado, este fenómeno aumentou enormemente o peso da oferta cultural das nações com indústrias culturais. Em variados domínios, a cultura passou a falar inglês, mesmo se materializada por não ingleses.

Isto constitui uma ameaça à identidade cultural nacional? Não creio que o problema esteja correctamente colocado. Não é pelo facto de grande parte do cinema que cá chega ser americano, que se fazem poucos filmes portugueses. Não arranjemos bodes expiatórios, nem inventemos um discurso nacionalista para a Cultura. Tratemos, isso sim, de criar as condições materiais e subjectivas para que a produção nacional de bens culturais possa ser fruída e se possa, em geral, desenvolver a criatividade artística. A ausência de políticas culturais é que pode constituir uma ameaça à identidade nacional.

Entre um sofrível produto cultural português e um bom produto cultural internacional o que prefere ?

Claro que prefiro o segundo. Mas o que para mim é um «bom» produto cultural, pode não o ser para o meu vizinho. A arte é o terreno por excelência da máxima subjectividade, e dizer isto mais não é do que uma banalidade. A inferência que dela se retira é que já pode ser polémica e ao arrepio do que a minha geração pensou durante décadas: a arte e a cultura não têm que «servir» para isto ou para aquilo. Uma e outra só são essenciais porque são uma escolha íntima, quer no lado da criação quer no da fruição. Diria mesmo mais: estamos perante o que constitui uma necessidade básica da vida moderna, da civilidade.

A cultura é um domínio da política ou toda a política tem que estar inserida numa visão cultural ?

Pelo que disse atrás, o papel da política não é o de funcionalizar a criação artística nem dotá-la de razões. Mas reconheço que os políticos dificilmente resistem a equacionar a «funcionalidade» da arte e, em consequência, a promover expressões artísticas e artistas que melhor possam servir um discurso ideológico. Claro que é preciso que se diga que isto também acontece porque há sempre quem a isso se preste. E haverá enquanto a criação cultural, além de dependente do mercado, depender da escassez de meios e estruturas públicas...

Daí que me pareça que os dois pólos da questão não se opõem. Ficaria bem a um candidato à Presidência da República dizer apenas que «a política tem de estar inserida numa visão cultural mais geral». E tem. Aliás, um dos problemas da política enquanto exercício do poder, é a de, com facilidade, tomar como horizonte a mera reprodução desse mesmo exercício e apresentar, em consequência, uma estreita visão cultural do problema. Mas a verdade é que «a Cultura é um domínio da Política». Também é. Desde logo porque esta interfere na vida da primeira e não pode deixar de o fazer. Como o faz, com que métodos e objectivos, esse é o cerne desta discussão.

O Estado deve ter uma política cultural? No caso afirmativo, quais as suas linhas de força?

Essa é uma pergunta sacramental que acaba sempre por ter respostas de algibeira. Claro que o Estado tem a obrigação de salvaguardar o património, contribuir para a fixação de infraestruturas e equipamentos culturais e não se eximir em apoiar as estruturas culturais existentes no país. Também é ele que tem os meios de promover a defesa da nossa língua nas cinco paragens do Mundo. O modo como isto se faz é da competência dos governos, das autarquias, do debate parlamentar e do diálogo na sociedade.

Por mim colocaria ainda duas interrogações:

O Estado deve ter «uma política cultural» ou, diferentemente, «políticas culturais»? Inclino-me mais para a segunda hipótese. A experiência diz-me que, entre si, as políticas culturais tendem a ser contraditórias e que isso não é um mal mas um bem. Contraditórias porque em várias áreas do que se trata é de o Estado propiciar condições para o desenvolvimento dos mercados, enquanto noutras é o de, como representante do interesse público, regular, se não mesmo intervir, em alguns dos seus efeitos mais negativos. Contraditórias também, porque as políticas nacionais, regionais e locais apresentarão sempre uma tensão apreciável. Contraditórias ainda, porque se as políticas nacionais não podem ser o simples somatório federado de interesses específicos, dificilmente escaparão às inferências que se cruzam na sociedade

Outra questão decisiva é a que articula o sistema de ensino e a Cultura num mundo onde a formação cultural de grande parte da comunidade é cada vez mais função do audiovisual e da «aprendizagem da rua». Trata-se de um tema complexo que só pode interrogar a escola moderna nos seus fundamentos.

A salvaguarda do património construído deve ser entendida numa perspectiva estática ou dinâmica? Há dilema entre a barragem e as gravuras de Foz Côa?

Independentemente da questão em apreço, que tem arrastado um debate científico que está longe de estar concluído e em que a questão da falta de água, como problema central do nosso tempo, não poderá também deixar de ser equacionada, julgo que ela é exemplar de um dos mais importantes combates culturais da actualidade: neste século, a ideia de Progresso foi associada a produtivismo, indústria e desenvolvimento ininterrupto do consumo de bens materiais. Há razões para crer que esta ideia entrou em crise: o planeta não suporta eternamente um modelo de civilização que tem sido penalizador dos recursos naturais. E que a qualidade de vida é uma noção onde ambiente e património são centrais.

Não me arrogando competências que me não caberiam como PR, há que encontrar soluções concertadas para os problemas de Foz Côa.

A cultura da sua geração foi largamente marcada pelas estruturas da sociedade pré-comunicacional. Há dez anos podia ainda falar-se numa sociedade dominada pela televisão. E hoje? O que é que modela os gostos e comportamentos culturais?

A sua pergunta tem, implícita, uma conexão: a de que a TV é hoje um meio essencial na modelação de gostos e comportamentos culturais. Em certo sentido isso é verdade, mas não é toda a verdade. Por um lado, o sistema educativo, mesmo em crise, continua a ser uma instância incontornável na formação dos gostos e dos comportamentos sociais. O mesmo se poderá dizer da família, por muito que esta hoje já não tenha a configuração de outros tempos. E acresce que, muito para lá da televisão e na própria televisão, as artes continuam a ser um território privilegiado da produção e reprodução do gosto.

Dito isto, é evidente que a vida se tem alterado e que outras instâncias tradicionais onde o gosto e os comportamentos se formavam se vêm debatendo com fortes dificuldades. É o caso dos partidos políticos de massas, dos sindicatos e outras associações profissionais, locais e culturais. É ainda a situação difícil dos clubes e colectividades recreativas. Às dificuldades destes tipos de instituições não é alheia a vulgarização da televisão. Mas é um equívoco atribuir a esta as dificuldades daquelas.

A televisão veio permitir mediações mais directas, tensas e actuais entre a política, a cultura e as comunidades. Por exemplo, a TV não matou o cinema, antes o tornou imensamente mais acessível. Mas é verdade que um bom cinéfilo continua a preferir uma sala de cinema com um bom écran ao pequeno televisor. Nem sequer se pode dizer que a TV transformou o cidadão num consumidor passivo. Porque o mesmo cidadão passou a usar esse poderoso meio para denunciar situações que conhece. Se recorresse à organização da sua preferência, poderia esperar meses ou anos até que o assunto tomasse contornos de história nacional.

Dito isto, julgo que tem lidado pior a sociedade com este novo meio de comunicação do que este com aquela. Mas que os problemas existem, lá isso existem. Por exemplo, não é fácil em TV «passar» uma ideia mais complexa. A cultura passável é a que assume a forma de espectáculo. E mesmo a política que conta é a que se encena como máximo espectáculo. Em consequência, a televisão tem sido, não raro, o território preferido de todos os lugares comuns.

Caminhos de saída? A alternativa não é entre uma TV básica, de baixa qualidade com altas audiências e um serviço público para pequenas minorias. Exemplifico com programas de entertenimento particularmente exigentes na sua qualidade. Nem é necessário recuar ao Zip-Zip ou à Cornélia. A televisão portuguesa tem profissionais de excelente qualidade e que ao longo dos tempos têm provado ser capazes de «inventar televisão». A criação da televisão privada multiplicou rapidamente novos protagonistas que, em pouco tempo, se fizeram certezas no mundo da comunicação.

Uma segunda pista é a de se pensar o espaço mediático como espaço colectivo. A minha experiência como Presidente da Câmara de Lisboa leva-me, com facilidade, a estabelecer alguns paralelos entre o espaço virtual e o espaço urbano. Por exemplo, não me parece que colha o argumento que diz que um cidadão pode sempre desligar a televisão se não gosta do que está a ver. Ora se não gostamos do aspecto do espaço colectivo urbano, também podemos não sair à rua... A verdade é que, tal como ninguém pode hoje viver sem circular no espaço urbano, também ninguém pode viver sem televisão. Isto leva-me a pensar que no espaço virtual têm que existir regras, democraticamente decididas e aplicadas, tal como na cidade têm que existir normas que se aplicam não apenas aos espaços públicos como aos espaços privados de uso público. Não estou a falar de regras limitadoras ou orientadoras no espaço virtual, assim como na cidade não defendo que se imponham estilos ou arquitecturas. Em televisão, penso em regras que ajudem a multiplicar e pluralizar os conteúdos televisivos, não a acabar ou a cercear os que existem. Falo igualmente da necessidade de preservar um serviço público de TV não para que este se afirme como mais um canal comercial, ainda por cima financiado com os impostos dos cidadãos, mas para que aí se faça a concorrência com parâmetros de qualidade elevada. Em minha opinião, está por provar que qualidade na informação e na programação sejam incompatíveis com audiências.

Pode um país como Portugal prescindir da existência de um teatro nacional de ópera ?

Não pode, nem deve.

Mas, como um teatro de ópera não vive sem importantes subvenções do Estado, há obrigações a cumprir de ambas as partes para que a subvenção seja legítima e socialmente útil.

O Estado deve ser claro nos critérios de concessão dos apoios financeiros, atempado na entrega desses apoios (a ópera planeia-se a anos de vista...), não ingerente na programação do Teatro e exigente quanto à qualidade artística e de gestão.

O Teatro deve ser equilibrado na programação, cuidadoso na gestão, promover a itinerância de uma parte significativa do reportório, integrar cada vez mais artistas portugueses na actividade do Teatro (compositores, cantores, encenadores, cenógrafos, etc.), ser imaginativo para atrair novos públicos e o mecenato e incluir na sua «oferta» o acesso às tendências mais marcantes da encenação do nosso tempo, através de uma política de co-produções e outras formas de colaboração com Teatros europeus.

Apesar de uma fraca tradição nacional, pode a ópera ser considerada alheia à cultura portuguesa ?

Julgo que não. Musicólogos ilustres como João de Freitas Branco, Manuel Carlos de Brito, Rui Vieira Nery e Paulo Ferreira de Castro, demonstraram-no eloquentemente.

A proliferação de teatros tendencialmente operáticos antes e depois do terramoto de 1755 ilustram o interesse de um público de tipologia variada. A influência italiana foi sempre preponderante até ao fim do séc. XIX.

Aliás, é curioso verificar como a história da ópera em Portugal acompanha a dinâmica político-social desde D. João V. Ela reflecte o prestígio estrangeirado, a moda italiana, o exílio/regresso de compositores, o nacionalismo romântico primeiro e estado-novista depois.

Embora dona do seu próprio tempo – o tempo da cena musical – a ópera está cercada pelo mundo que a rodeia. E só quando é capaz de nos fazer superar o quotidiano é que atinge a sua dimensão total.

O Centro Cultural de Belém é um sucesso ou um fracasso? Um sonho cor de rosa ou um elefante branco?

Sinceramente, não sei se é produtivo pôr a questão em termos de sucesso ou fracasso. O CCB está aí, está para ficar por muitos e bons anos. Arquitectonicamente é um equipamento que aprecio, custou o que se sabe, e não foi pouco, e agora é preciso que valha a pena – este é o problema e não é pequeno. Com efeito, quando o governo tomou a decisão de avançar com ele, muitos dos conhecedores da cultura portuguesa colocaram a questão de saber se o CCB não seria excessivo, se não configuraria um modelo fortemente consumidor de recursos e se não acentuaria o centralismo cultural da capital. Por outras palavras, eram possíveis outras escolhas. Só que o CCB aí está e trata-se de um espaço altamente qualificado e qualificador do que lá se apresente.

As informações de que disponho indicam que, de facto, não apenas o centro é um forte consumidor de recursos fixos, como se tem debatido com problemas orçamentais ou, se preferirmos, com um orçamento insuficiente para a escala e as possibilidades do espaço.

A resposta para esta questão tem dois tempos – o do curto e do médio prazos. Para já o curto prazo envolve uma avaliação do desenho institucional da gestão (a Fundação das Descobertas) e consequente partilha de responsabilidades entre entidades públicas e privadas. Trata-se de uma competência do governo e não me parece bem, na, actual conjuntura, estar a dizer, em público, a minha opinião sobre uma matéria de negociação delicada. Interrogar-me-ei apenas sobre o médio prazo e, provavelmente, de modo pouco ortodoxo: por um lado, o CCB situa-se no extremo ocidental de um percurso pontuado por equipamentos que fazem a história da cidade, do século XVI até hoje. A viabilização do CCB é indissociável de uma estratégia de revalorização do conjunto da zona ribeirinha para os lisboetas e os visitantes da capital. Por outro lado, e paradoxalmente, não sei se a conclusão da componente mais comercial do projecto não será estrategicamente decisiva para gerar receitas e públicos que permitam razoabilizar os inevitáveis diferenciais entre custos e proveitos de exploração num equipamento com a dimensão do CCB.

A cultura, a produção cultural, deve ser entendida numa perspectiva de rendibilidade económica imediata ?

Claro que não, embora a minha resposta anterior possa levar a crer que sim. Economicamente, a Cultura só pode ser considerada um investimento de médio e longo prazos. Um investimento na condição humana. Quem quiser resultados rápidos, melhor será que o faça na Bolsa.

Mas isto não quer dizer que, na óptica da administração pública, não se tenha de falar em dinheiro quando se pensa em Cultura. Este facto decorre da escassez de meios com que a Cultura se debate. Podemos aumentar os recursos financeiros para a Cultura que, efectivamente, são muito baixos quer no Orçamento de Estado quer no dos municípios. Mas, mesmo que os eleitos assim o decidam, isto não significa que a Cultura e os produtores culturais passem a viver no melhor dos mundos.

Acima de tudo, o Estado só pode pensar o investimento em Cultura como um investimento nas gerações vindouras e/ou como um investimento na autonomia da criação cultural actual face ao próprio Estado. Uma vez mais estamos em presença de escolhas políticas que depois se traduzem em recursos e meios disponibilizáveis. O critério público para aferir do sucesso ou fracasso de uma política não pode ser o do lucro – que o pode ser para parte da produção privada de Cultura – nem o da poupança, mas o de um emprego de meios reprodutivo de bem-estar cultural na sociedade. E isto tem de se fazer a pensar nos dias de hoje e nos de amanhã. O que há de mais curioso no caso do CCB é exactamente a ponderação deste tipo de escolhas que, frequentemente, se opõem. Dentro de 50 ou 100 anos quem se lembrará das polémicas sobre a justeza de fazer ou não fazer o CCB? Ele ali estará, ao lado dos Jerónimos, e decidido como sempre estas coisas se decidiram – como obra de poder. Entretanto, é verdade que os recursos empregues nessa grande obra poderiam ter tido outro destino, porventura mais reprodutivo no curto e médio prazos em termos culturais. A discussão informada e democrática sobre este tipo de escolhas – e que no exemplo referido ficou muito aquém do que se deveria ter feito – é o que pode diferenciar os tempos da modernidade de outros tempos.

O Presidente da República deve ter algum papel na dinamização e/ou acompanhamento da vida cultural ?

Julgo que é sobre este aspecto que ele tem de ter um papel insubstituível. Sendo um centro de poder que não é nem legislativo nem executivo, o seu papel deve ser o de assegurar que o poder sabe ouvir e que a transparência deve ser uma condição da política.

Julgo também que o Presidente não deve estar privado de opinião e de razões. Nalguns casos ele poderá ser levado a intervir – em privado ou publicamente, se considerar existirem razões para isso.

A POLÍTICA

QUESTIONÁRIO DE
MARGARIDA MARANTE

Hoje em dia, é «politicamente correcto» esbater ou mesmo apagar a divisão de águas entre esquerda e direita. A sua repetida afirmação como «homem de esquerda» é uma identificação contra a corrente... Porque é que insiste nessa postura?

É indiscutível que a ideia de esquerda tem evoluído e a condição de esquerda não tem sido sempre a mesma. Mas a referência a esta «metáfora espacial», no dizer de Norberto Bobbio, só tem sentido em termos relacionais: só há esquerda se houver direita. Ou, se quiser, só há uma porque existe a outra.

Há por isso a convicção que, mais do que esbatimento de fronteiras ideológicas, entre esquerda e direita, poderão achar-se várias esquerdas e várias direitas. E flutuações históricas das respectivas fronteiras.

A esquerda a cuja raiz me reporto, é a que se identifica com a mudança, a que mantém um juízo crítico persistente face a qualquer ordem estabelecida, ou a quaisquer privilégios ou injustiças de ordem política, social, racial, sexual, ou outras. A esquerda a cuja raiz histórica me reconduzo atravessou o movimento liberal oitocentista, fundou a república democrática e aportou ao ideário socialista. Em Portugal, antes do 25 de Abril, a esquerda afirmou-se sobretudo por um ideal de liberdade, mas com o regime democrático procurou e busca, sobretudo, a solidariedade, inerente à cidadania.

É evidente, no entanto, que a estes valores de que a esquerda se fez bandeira, e por caminhos diversos, pessoas oriundas de outros quadrantes se vieram juntar. Por isso, podemos dizer que há, hoje, um forte tronco comum onde a metáfora espacial esquerda/direita perde sentido porque ganhou sentido um «património universalista» superior. Os direitos humanos, o Estado de direito e a democracia pluralista são disso exemplo marcante.

Ao contrário do que a sua pergunta refere, eu nem costumo insistir muito na minha postura de esquerda. Talvez por a ter por óbvia. Mas ela faz parte de mim e da minha história pessoal. E se há um valor que não renego é o de ser igual a mim próprio, à minha autenticidade, respeitando-me na vida que vivi.

Quais são as causas que podemos considerar hoje como exclusivas e identificadoras da esquerda portuguesa?

Julgo que a causa maior da esquerda portuguesa, hoje, é a causa da solidariedade, do mesmo modo que antes da Revolução de Abril a causa maior era a da liberdade. Em Portugal, como um pouco por toda a parte, a igualdade de oportunidades, a coesão social e a responsabilidade partilhada e solidária são os grandes vectores da nossa vida em sociedade.

A renovação da democracia, que exige uma acrescida participação dos cidadãos é, assim, um objectivo não só de partilha do poder político e de aproximação a todos os cidadãos, mas de uma forma de responsabilização colectiva na organização da solidariedade.

Creio que pode constituir, ainda, uma referência da esquerda moderna, ao encontro da fórmula feliz de Jacques Delors, a orientação que tem por objectivo: «a cada um segundo as suas necessidades essenciais», quer se trate da educação, da saúde, do direito ao trabalho, ou de um rendimento decente para viver.

A tradição socialista portuguesa é republicana, laica e maçónica. Do seu ponto de vista, como é que essa tradição convive com o socialismo de inspiração cristã que o Engº Guterres representa?

O socialismo português é historicamente marcado por uma matriz republicana e laica. A sua referência republicana apela às virtudes cívicas no exercício político, à divisão dos poderes e à procura do «bem comum» como objectivo da política (para além da designação democrática do sujeito que governa) e convive com a «independência» laica, a qual entende a prática política no respeito e tratamento igual das mais distintas sensibilidades filosóficas, religiosas e culturais.

No socialismo português moderno convivem, por isso, percursos biográficos oriundos das mais diversas inspirações: republicana, democrática, laica, marxista, personalista, cristã, as quais afluem aos valores nucleares da liberdade e da luta contra as desigualdades. Convivi desde sempre com todos eles na minha vida política e nunca encontrei obstáculos inultrapassáveis.

Que consequências teve, no campo do socialismo democrático, a falência de sistemas políticos que se reclamavam do chamado «socialismo científico»?

Como nos diz, ainda, Jacques Delors: «na luta contra as desigualdades, encontram-se do mesmo lado os que combatem por uma igualdade de oportunidades e os que, talvez sem o saber, lutam por uma igualdade de resultados».

O certo é que, na história, os que preferiram a segunda fórmula fizeram perecer a causa da liberdade. A queda do muro de Berlim e a emergência a Leste, a partir de então, de sociedades democráticas constituiu, por isso, o revés do «socialismo científico», e o triunfo da liberdade democrática, no quadro da aspiração à igualdade de oportunidades característico do ideário do socialismo democrático.

A tentativa de fazer pagar aos socialistas os erros do comunismo, em nome apenas da palavra «socialismo», que a História tornou ambígua, é um puro embuste desgastado e um simples «truque primário» forjado no contexto das opções neo-liberais dos governos conservadores da década de 80.

Para a generalidade dos portugueses, hoje a diferença ideológica entre o socialismo democrático e a social-democracia, ou seja, entre o PS e o PSD, não é perceptível. Para si, é?

A ideia do socialismo democrático ou da social-democracia é praticamente coincidente e referencia-se a um «modelo europeu de sociedade», o qual tem como âncoras os direitos humanos, a proeminência do direito, a democracia pluralista e uma economia aberta e competitiva, que aceita mas não dinamiza o mercado, pelo que cabe ao Estado um papel supletivo e regulador.

PS e PSD referenciam-se a este tronco comum, mas a matriz socialista ou social-democrática do PS, tal como a entendo, assenta na prioridade ao exercício convincente da luta pela igualdade de oportunidades, pela coesão social e pela solidariedade e, ainda, numa responsabilidade partilhada no exercício da cidadania activa.

O ideal socialista democrático aponta, hoje, para propostas concretas capazes de assegurar um modelo de desenvolvimento das sociedades, mais respeitador dos equilíbrios do homem e da natureza, capaz de propostas realistas de fiscalidade e de segurança e de garantir uma luta sem tréguas contra todas as formas de exclusão social ou política. O socialismo aspira à cidadania activa plena, num quadro de solidariedade e liberdade. Conheço outros que também pela cidadania se batem. Mas, infelizmente, ou a sua noção de solidariedade está limitada pela dogmática do neo-liberalismo, ou o seu conceito de liberdade tem mais a ver com as regras do sistema constitucional e jurídico do que com uma verdadeira sensibilidade política para a intervenção espontânea de todos e cada um.

O actual Presidente da República sempre se afirmou socialista. No entanto, conseguiu seduzir o centro e a

direita não só pela sua prática, mas também pela memória que os sectores não socialistas guardam do seu combate contra o comunismo em 1975. Diferentemente, o Dr. Jorge Sampaio representa o «compromisso histórico» com os comunistas no exercício do poder...

Cada pessoa tem uma biografia própria. O Dr. Mário Soares é fundador do regime democrático português e, justamente, uma das referências históricas marcantes do nosso tempo, fora e dentro de Portugal. Tendo ganho grande vitória eleitoral num confronto polarizado na 2ª volta, veio no seu segundo mandato a receber o apoio acrescido do PSD.

No exercício do seu mandato, o Dr. Mário Soares fez verdadeiramente jus à legenda que lhe serviu de referência, a de «Presidente de todos os portugueses». Pela minha parte, e sem me ater às alianças partidárias que protagonizei no passado, mais notoriamente como Presidente da Câmara de Lisboa, sendo eleito, cumprirei o meu mandato no mais escrupuloso respeito pela representação de todos os portugueses. Mas, se ainda é preciso justificar o compromisso político que esteve na origem da minha ascensão à Câmara de Lisboa, os lisboetas têm dele a memória, e a realidade, de uma solução necessária para liquidar o situacionismo amorfista que vinha fazendo de Lisboa um projecto urbano adiado e em progressiva depauperação.

Quero frisar que o Presidente da República é eleito com os votos que o elegerem, mas que cumprirá o seu mandato tendo em conta a vontade e a representação de todos os portugueses. Nisso serei intransigente.

E se há algo que me posso reivindicar é de, sendo socialista, e independentemente das alianças que fui fazendo, sempre ter cumprido os cargos para os quais fui eleito com isenção, imparcialidade e independência.

Aliás, há quem considere que a veudadeira diferença entre o Dr. Mário Soares e o Dr. Jorge Sampaio é a distância do primeiro e a proximidade do segundo em relação ao PCP.

Eu não acho relevante, como traço distintivo da personalidade política de Mário Soares e da minha própria, a proximidade ou a distância face ao PCP. A diversidade de biografias, sem contar com a personalidade de cada qual, tem a ver com os problemas políticos que cada um de nós, em tempos diferentes, foi chamado a resolver.

Somos de gerações distintas e, por isso, os problemas que na Presidência terei de enfrentar são diversos daqueles com que Mário Soares deparou.

Mas, naturalmente, que o compromisso que assumirei no exercício da Presidência da República é o de ser um Presidente de todos os portugueses, para todos os portugueses, e não apenas para os que me derem os seus votos.

Que fique claro que receberei, em geral, com agrado e respeito todos os apoios que me quiserem conceder. «A minha candidatura é um espaço aberto a todos, venham de onde vierem», como já disse. Mas, no cumprimento dos meus desígnios de isenção, as maiorias eleitorais que me sufragarem extinguem-se no acto da eleição.

Como já o afirmei publicamente, «apresento-me perante os portugueses com os valores e as convicções fundamentais que me nortearam ao longo da vida. A minha candidatura assenta nos ideais da liberdade, da participação cívica, da responsabilidade individual, da solidariedade social, da criatividade cultural e da coesão nacional».

Em que medida a sua passagem pelo MES contribuiu para a sua formação política e em que termos foi tomando forma a necessidade de adesão ao Partido Socialista?

A minha passagem pelo MES em 1974 foi irrelevante na minha formação política. Saí do MES no próprio Congresso fundador em que este se instituiu como partido político, por discordância com os seus princípios e vectores estruturantes.

A minha formação política vem de antes do 25 de Abril, desde a minha juventude, nas lutas académicas da Universidade de Lisboa e dos estudantes portugueses em 1962, na oposição política ao regime ditatorial, advogado na defesa dos acusados políticos de acção contra o regime, identificado com o ideário democrático e socialista, apelando acrescidamente a uma ideia de socialismo participado.

A minha adesão ao Partido Socialista em Fevereiro de 1978 correspondeu à percepção de que o PS seria capaz de responder aos grandes desígnios políticos pelos quais me batia: a fundação do regime democrático e pluralista; a integração europeia e a sua readaptação às exigências cívicas de uma mais alargada participação democrática. Tudo isto, naturalmente, no quadro das grandes bandeiras da liberdade e da solidariedade.

Politicamente, quem são ou quem foram os seus heróis, as suas referências?

A minha grande referência pessoal, em termos de reflexão e acções políticas, é, como já o tenho dito, Pierre Mendès-France. Já noutro plano me revejo nos grandes libertadores como Gandhi e Luther King...

Como é que avalia a última década de coabitação entre o Primeiro Ministro Cavaco Silva e o Presidente Mário Soares?

A coabitação entre Cavaco Silva e Mário Soares foi a diversos títulos dificultada pela pretensão de Cavaco Silva em utilizar o poder executivo para condicionar a acção presidencial. Cavaco Silva, enquanto Primeiro-Ministro, não soube potenciar o exercício das competências presidenciais nas áreas da política externa e da defesa e aproveitar o prestígio internacional de Mário Soares.

O Presidente da República, evitando que este bloqueio chegasse a colisões irreparáveis, orientou o exercício da função presidencial num sentido estabilizador e moderador.

NÓS, A EUROPA E O MUNDO

QUESTIONÁRIO DE
JOSÉ MEDEIROS FERREIRA

Qual deve ser o papel do P.R. no domínio da representação externa do Estado? Mário Soares apresentou no seu programa de recandidatura uma proposta de maior intervenção presidencial na esfera da política externa e na da defesa nacional. Faz suas essas propostas?

Sim, e tanto mais quando, nos últimos anos, assistimos a uma tentativa continuada de reduzir o papel do Presidente da República na política externa e na política de defesa, por vezes de uma maneira grosseira, em prejuízo dos interesses nacionais.

Entre a teoria do «domínio reservado» do semi-presidencialismo francês e as funções estritamente representativas, ou protocolares, de um Chefe do Estado nos regimes parlamentares, temos de encontrar uma forma equilibrada de garantir uma tradução relevante dos poderes presidenciais nas políticas externa e de defesa. Ambas são demasiado importantes para Portugal poder dispensar uma intervenção activa do Presidente da República, que é o garante da independência nacional.

Quanto à defesa nacional, o estatuto do Presidente como Comandante Supremo das Forças Armadas, bem como a sua posição no Conselho Superior de Defesa e a sua intervenção na nomeação dos altos comandos militares, definem, na minha interpretação, uma responsabilidade própria na estabilidade da instituição militar. Por outro lado, implicam também um processo de decisão partilhada, prévia à fixação das missões das Forças Armadas, designadamente quanto à sua participação em forças internacionais, e sempre que possa estar em causa o nosso envolvimento em teatros operacionais de forças combatentes. Creio que o Presidente da República não pode nem deve abdicar da a sua parte de responsabilidade autónoma, nas políticas de segurança e de defesa nacional, bem como naquelas que respeitem ao desempenho das Forças Armadas portuguesas em missões internacionais de risco.

Quanto à política externa, o Presidente da República tem uma função constitucional decisiva, como garante da unidade de representação externa de Portugal. Não tenciono fazer letra morta das obrigações constitucionais, nem reduzi-las a meras formalidades, pois entendo que exigem do Presidente da República um empenho constante na defesa dos interesses nacionais permanentes. Fazê-lo à revelia do Governo é que já me pareceria inadequado à leitura que faço das funções presidenciais.

Por outro lado, creio que as dificuldades previsíveis na política internacional tornam imperativa uma maior intervenção presidencial, nomeadamente para assegurar uma linha de continuidade das principais orientações da política externa. Nesse quadro, a consolidação de consensos internos quanto à política europeia de Portugal parece-me ser uma clara prioridade.

Enfim, não queria deixar de referir as questões de Macau e de Timor-Leste, onde o Presidente da República, a par do Governo, tem responsabilidades específicas na formulação e na decisão das políticas portuguesas. Pela minha parte, tudo farei para assegurar um quadro de cooperação institucional, indispensável em ambos os casos. Portugal não pode desistir de lutar pelo direito de autodeterminação de Timor-Leste, e tem de se preparar para a transferência da sua administração de Macau, em finais de 1999, de modo a estar em condições de garantir o cumprimento rigoroso da Declaração Conjunta Luso-Chinesa.

Que balanço faz da condução política externa portuguesa durante os últimos anos?

Como imagina, não assino de cruz o modo como a política externa portuguesa foi conduzida nos últimos dez anos, muito embora deva reconhecer que foram respeitadas as grandes linhas de orientação, definidas desde a institucionalização da democracia pluralista.

A minha impressão mais forte é a de uma ausência de iniciativa, de um certo temor de fazer avançar propostas portuguesas, donde resultou, no essencial, uma política demasiado defensiva e reactiva. E foi assim tanto nas grandes questões de política europeia, como em relação a problemas onde a nossa influência poderia ser mais directamente relevante, por exemplo nos processos de pacificação de Angola ou de Moçambique.

Faço esta constatação com pena, mas espero que se possa retirar dessa experiência uma demonstração. Portugal não tem nada a ganhar com passividade ou reflexos defensivos, que acabam por banalizar a nossa posição internacional e prejudicar a nossa capacidade de acção externa.

O «modelo» do «bom aluno» na política europeia é o caso mais gritante. Sem uma voz própria, sem visibilidade política, Portugal fica reduzido ao estatuto de permanente candidato a fundos. Mas, quando defendemos claramente as nossas próprias posições, por exemplo em situações tão difíceis como as de Macau

na negociação do acordo de transição, ou de Timor-
-Leste, marcámos pontos e ganhámos força na comunidade internacional, ao contrário do que previam os
mais pessimistas.

**Como interpreta o impasse na realização da Cimeira dos
Estados de Língua Portuguesa já adiada por duas
vezes? Por onde se deve recomeçar e quais os erros
do passado que se devem evitar?**

Considero importante a realização da Cimeira dos
Estados de Língua Portuguesa, de resto numa linha de
continuidade na defesa do desenvolvimento dos quadros multilaterais onde o conjunto desses países possam articular os seus interesses comuns, a começar pela
promoção da língua portuguesa, nomeadamente nas
organizações internacionais.

Todas as partes envolvidas no processo da cimeira
cometeram os seus erros, inevitavelmente. Do nosso
lado, creio continuar a haver, por vezes, uma visão
ultrapassada e provinciana do estatuto internacional do
Brasil, sem o qual dificilmente se podem alcançar os
objectivos comuns, nomeadamente de defesa da língua
portuguesa.

São as dificuldades de percurso. O mais importante é persistir e avançar, com determinação e abertura.

A experiência adquirida nas relações entre representantes das cidades-capitais dos países lusófonos pode-lhe ser útil nesse campo? E o que se deve entender por lusofonia? Acha que todos gostam igualmente do conceito?

As relações entre as capitais dos Estados de língua portuguesa formam parte integrante do esforço de desenvolvimento dos quadros multilaterais que podem reunir esses países, designadamente para a defesa da língua portuguesa, ainda que nela se não esgotem, pois prosseguem outros importantes objectivos, como por exemplo, o do fomento da cooperação empresarial e universitária.

Para lá do enunciado dos conceitos, a língua portuguesa constitui um factor de identidade cultural e de unidade nacional específico para cada um dos Estados e, nesse sentido, há um interesse comum na sua projecção internacional.

É óbvio que a experiência que me foi proporcionada pela presidência, durante seis anos, da União das Cidades Capitais da Língua Portuguesa (UCCLA), foi também particularmente rica na abertura de horizontes quanto à utilização deste tipo de instrumentos de cooperação.

Aliás, nisso fui também muito apoiado – agora já fora do campo da lusofonia – pela experiência que também pude colher, num âmbito mais vasto, enquanto Presidente da Federação Mundial das Cidades Unidas.

Qual deve ser a posição do Estado Português perante novos avanços e novos alargamentos na União Europeia? Não teme que no seguimento da confusão de géneros propiciados pela entrada de países como Malta e Chipre se estabeleça uma hierarquia formal entre os Estados-membros? Como salvaguardar o estatuto inicial de Portugal na Comunidade Europeia?

O alargamento da União Europeia, designadamente às democracias pós-comunistas da Europa central e oriental, representa um passo decisivo no processo de unificação da Europa.

Nesse sentido, seria um erro Portugal pretender bloquear a adesão desses candidatos, embora o seu apoio natural ao alargamento não exclua uma posição exigente da nossa parte quanto às condições e aos prazos da sua integração efectiva na União Europeia. O medo da mudança, sobretudo quando ela é inexorável, não é bom conselheiro para a nossa política europeia.

Quanto às implicações internas da entrada de pequenos Estados, como Chipre e Malta, não me parece que possam ser diferentes das da presença do Luxemburgo, membro fundador das sucessivas Comunidades Europeias. No quadro da União Europeia, o princípio formal da igualdade entre os Estados membros nunca poderá ser substituído por uma hierarquia formal entre os mesmos Estados-membros. Uma tal revolução seria o fim da União e não acredito que seja esse o objectivo nem dos grandes, nem dos médios, nem dos pequenos Estados que são nossos parceiros na União Europeia.

A qualidade do processo de integração europeia é justamente saber articular a realidade da hierarquia regional das potências com o princípio de igualdade entre todos os Estados-membros das instituições comunitárias. Esse processo tem de continuar, mas assente nos mesmos princípios e, nesse sentido, o estatuto inicial de Portugal na Comunidade Europeia está salvaguardado.

Qual a melhor concepção de União Europeia para Portugal?

Tal como o eram as Comunidades Europeias, a União Europeia é, no essencial, uma associação de Estados soberanos, à qual Portugal aderiu para se fortalecer como Estado-nação, para consolidar uma democracia ainda débil, para defender interesses comuns com os seus parceiros e para participar de parte inteira na complexa construção da Europa unida.

É essa a concepção portuguesa sobre a União Europeia e é essa a concepção dominante entre os Estados-membros, sobretudo no caso dos mais antigos dos Estados europeus, com os quais temos uma maior proximidade, em parte, justamente, por partilharmos essa concepção. Essa ideologia federalista, em si mesma inteiramente respeitável, não faz parte da nossa cultura, nem da nossa tradição política. Para nós, a comunidade política não é separável do Estado nacional, como acontece noutras tradições históricas de nações que só tardiamente se constituíram como Estados, de resto instáveis.

Os problemas da Europa só podem ser resolvidos com a dupla consolidação solidária, dos Estados e da União Europeia. E só o poderão ser quando todos os Portugueses – já que é deles que aqui me cumpre falar – sejam cidadãos em pleno desse espaço que ajudámos a construir.

Quando se deve utilizar o referendo, e em que condições, em matéria de política externa?

Sou, como sabe, partidário do referendo, e defendi a realização de uma consulta directa sobre a União Europeia, justamente por considerar que se tratava de um passo importante na construção europeia. Continuo a pensar que os Portugueses se teriam pronunciado a favor da União, e que o referendo representaria um factor relevante de estabilidade da nossa política europeia.

Dito isto, sou contrário à banalização do referendo nomeadamente na política externa, e não defendo que se submeta a referendo um tratado internacional.

Como irá interpretar a recorrente «vocação atlântica» de Portugal? Como a harmoniza com a opção europeia?

Deixe-me dizer-lhe, antes de mais, que a «vocação atlântica» deve ser uma opção da União Europeia, expressa na consolidação paralela da Aliança Atlântica, incluindo o alargamento da Organização do Tratado do Atlântico Norte aos países da Europa central e oriental que são também candidatos à integração na União Europeia.

Para Portugal, como membro fundador da Aliança Atlântica, e parte das Comunidades Europeias desde a instauração da democracia, essa orientação é necessária e positiva, pois reproduz a dualidade da sua própria política externa. Sem o equilíbrio resultante da articulação entre as duas principais dimensões da sua política externa, Portugal pode tender a tornar-se excessivamente periférico, e esse é o risco permanente da sua posição internacional.

Nesse sentido, as relações de Portugal com o continente americano (e em particular os Estados Unidos) e o seu estatuto como membro da comunidade transantlântica têm uma importância inegável e em nada incompatível com a nossa política europeia.

Que reformas preconiza para o sistema das Nações Unidas?

As Nações Unidas estão imersas num processo complexo de reformas internas, de alto a baixo, que não parece estar perto de se concluir. Sem partilhar as expectativas, que não parecem excessivas, quanto à posição central da Organização das Nações Unidas na resolução dos problemas internacionais, creio, todavia, que Portugal deve dar um maior contributo a esse processo. Devo, aliás, referir que considero acertada a nossa posição a favor da candidatura do Brasil a membro permanente do Conselho de Segurança, se a sua reforma for por diante.

Pela minha parte, os temas mais interessantes da reforma do sistema das Nações Unidas parecem-me ser as instituições de defesa dos direitos humanos e a formação de uma força multinacional permanente de intervenção militar. Creio que teríamos todo o interesse em desenvolver estes temas no processo de reforma das Nações Unidas.

UM OLHAR SOBRE PORTUGAL

QUESTIONÁRIO DE
JOSÉ MATTOSO

Todos os regimes políticos portugueses até ao fim do Estado Novo atribuíam uma enorme importância à História e às glórias nacionais. O regime instaurado durante dez anos pela maioria PSD ignorou essa importância. Valorizou os valores económicos em detrimento dos simbólicos. Que pensa desta mutação?

A acção política enformada fundamentalmente por vectores económicos, distanciada de valores e princípios e apenas assente num individualismo egoísta de sucesso, tem pairado como o projecto sem alma na escala do contabilismo político e governamental português.

Ora a ideia de um projecto para Portugal, um reforço e uma renovação de identidade, um sentido como povo e História, só pode ser reencontrada num destino supratemporal inscrito na nossa identidade e nas diferenças de que nos orgulhamos. Como diz Eduardo

Lourenço, «talvez todos os povos existam em função de certo momento solar que confere sentido e euforiza magicamente a memória do que são. Mas poucos com tanto radicalismo e constância como o povo português. Essa euforia mítica deve-a, quase exclusivamente, ao papel medianeiro e simbolicamente messiânico que desempenhou na História Ocidental convertida por essa mediação, pela primeira vez, em História Mundial... Nenhum desmentido brutal do presente, nenhuma consciência da nossa pouca influência ou importância política, económica e mesmo cultural no mundo contemporâneo, nem mesmo a recente experiência da amputação do seu espaço imperial, conseguiram transformar esse dado fundamental da auto-consciência nacional. (...) Em qualquer entidade transnacional em que nos pensemos, figuraremos sempre com uma identidade, que é menos da nossa vida e capacidade colectiva própria, do que essa de actor histórico privilegiado da aventura mundial europeia».

O enclausuramento na dimensão espaço-temporal e na identidade de um pequeno país, à margem da história, e encarreirado no simples trilho económico em que a Europa se percorre, retirar-nos-ia de qualquer rumo transcendente que nos justifique superiormente como nação e povo.

Ora, a maneira de ser português não se revê neste apoucamento e projecta-se numa vocação de diáspora e de destino que aporta à fórmula excelsa e conhecida de Pessoa «um português que só é português não é português».

Que deve o Presidente da República fazer para promover as expressões da identidade nacional? Qual o seu programa neste ponto, se vier a ser eleito?

O Presidente da República é o representante directo da Nação. Não tendo poderes executivos, tem uma responsabilidade maior como garante da unidade do Estado, do regular funcionamento das instituições e da independência nacional. A ele se reportam as solidariedades nacionais, pessoais, sociais e de natureza e nele converge a representação externa do Estado e a referência simbólica da nossa Pátria.

No quadro da representação de todos os portugueses, como o mais responsabilizado dos seus concidadãos, o Presidente deve constituir um traço de diálogo, de referência e de identidade. Se a Pátria portuguesa é a língua, ela é ainda o sangue, a cultura e a história. E por isso um recriar da nossa identidade passa não só pela integração no grande espaço europeu, e numa progressiva aproximação com os povos europeus, como ainda pelo aprofundar das relações com aqueles com quem atravessámos séculos numa comunidade de destino.

O melhor da dimensão humanista e universalista que reivindicamos na história exige-nos um empenhamento activo e o reforço da cooperação com África e com os novos países de língua portuguesa, um diálogo intenso, mesmo que por vezes tenso, com Espanha e o aprofundamento das relações igualmente fraternas com o Brasil. Neste plano, um regresso às «rotas da nossa história» pode ser feito, agora, numa dimensão humanista, de futuro e numa recriação de identidades que, no respeito pela soberania dos povos e dos Estados, reforce os traços de um diálogo mundial de culturas, de história e de progresso.

Como se deve manifestar a identidade nacional no mundo de hoje? Terá ainda lugar, no nosso tempo, a ideologia nacionalista?

A nossa identidade afirma-se na Europa e no mundo, em termos de um destino com os povos europeus, mas sem perder as pontes da história com que atravessámos o mar e nos fizemos «povo da mediação europeia com vocação universal».

O velho «orgulhosamente sós» que a ditadura de Salazar nos imprimiu tem o seu reverso num mundo moderno interdependente e globalizado nas suas trocas e relações e no qual nos integramos, mantendo a nossa independência e identidade.

Há quem pense que a integração europeia constitui um risco para a permanência da cultura nacional no que ela tem de específico e original. Qual a sua opinião a este respeito? Quais as configurações concretas desse eventual risco e a forma de o minimizar?

Não creio que a Europa constitua um risco superlativo para a cultura nacional, no que ela tem de específico e original, de identidade profunda, dada a nossa mais enraizada vocação de «estar no mundo como em casa». Ora este traço de identidade é uma matriz sempre reconduzível ao momento de uma gesta atlântica em que o Ocidente se orientalizou num «universalismo cosmopolita» de que fomos actores. E essa referência pode ser hoje reaberta num diálogo de cultura e de povos em que a integração europeia é um percurso de integração económica e política a qual não apaga, antes estimula, um novo e aprofundado diálogo de regresso a uma rota que foi nossa.

Acha que existe uma forma «portuguesa» de fazer política?

Não penso que haja uma forma especificamente portuguesa de fazer política. Embora naturalmente o exercício político, entre nós, assuma a dívida dos problemas e das situações que o passado nos legou.

Em alguma medida, até ao 25 de Abril de 1974, os portugueses viveram com résteas dessa herança e por isso, hoje, fundado o regime democrático, estarão em causa não só o progresso material, o aperfeiçoamento institucional e uma participação cívica alargada, mas, ainda, a recriação de uma cultura que nos projecte na Europa e no mundo.

Que pensa da oposição Norte/Sul na realidade histórica portuguesa e na actualidade? Permanece ainda como um factor de divisão? Qual o seu papel no jogo de forças da vida política portuguesa?

A dimensão nacional e histórica de Portugal foi fundada e vive no entrelaçamento entre duas áreas principais: o Norte e o Sul, o Portugal Atlântico e o Portugal Mediterrânico, a dualidade entre a predominância física da montanha e da planície.

Como na síntese expressiva de Orlando Ribeiro, «o contraste entre o Norte e o Sul: o primeiro mais atlântico, rico de águas, verdejante, onde a Nação se fez Estado, dominando pela sua gente densa; o segundo mais mediterrânea ressequido por longos estios, escasso de população, tardiamente integrado na comunidade nacional».

Mas como o José Mattoso nos mostra no seu livro *Identificação de um País*, não pode ser esquecido «o fenómeno maior, de amplitude peninsular» decisivo, como foi, na estruturação da nacionalidade portuguesa. «Refiro-me ao que radica na capacidade expansiva da população nortenha e que portanto consagrou o domínio do Norte sobre o Sul. Todavia se o Norte fornece a gente, não sustenta o progresso técnico ou cultural. Esse situa-se nos vales e nas cidades, e por isso será a partir do momento em que a gente do Norte as ocupa que daí poderá dominar todo o território e formar um Estado viável». Estado este que vai ter um papel conformador e modelador da comunidade nacional e vai permitir ultrapassar as tendências em presença e recusar uma articulação mais complexa.

Ora, nesta evolução, o sistema urbano português, numa inércia «espaço-temporal» de séculos, fez emergir dois grandes pólos, Lisboa e Porto, e uma rede de pequenas cidades difusamente ordenadas no território nacional num quadro de progressiva concentração de actividades no litoral do país.

Naturalmente que a macrocefalia de Lisboa, como cabeça de um sistema urbano e imperial que não se limitava ao território europeu, tornou-a no espaço envolvente para o arranque comercial, dos serviços e da industrialização. O Porto, como cabeça do Norte, só se projectará decisivamente com o desenvolvimento de uma burguesia de comércio com o Brasil e Inglaterra e com o advento e difusão do processo de industrialização.

A partir de 1974, há uma nova redistribuição da evolução bipolar à volta destes grandes espaços metropolitanos que acompanham sobretudo a expansão de actividades industrializadas e produtivas e serviços com forte componente exportadora a Norte.

No processo de integração europeia, e num sistema de interdependências territoriais, a complementaridade entre as duas realidades deve acentuar-se num processo de disseminação do desenvolvimento alargado a todo o território nacional.

A dualidade entre Norte e Sul, com origens históricas e num processo de desenvolvimento espacial e urbano bipolar, é uma das riquezas de um país cujo processo de evolução se quer equilibrado e simétrico para todas as suas parcelas. O aproveitamento positivo e moderno desta bipolaridade metropolitana e os novos espaços urbanos e interiores de desenvolvimento poderão constituir, não já um factor de contraposição, mas a emulação complementar de um desenvolvimento uno no mundo europeu. A complementaridade e as inter--dependências territoriais exigem, porém, um jogo de equilíbrios políticos não segregadores. O processo de regionalização do país poderá, neste ponto, constituir a harmonização das diversidades, esbatendo as segregações especiais das actividades económicas e ainda as territoriais e sociais do desenvolvimento.

Como se sabe, não existe em Portugal uma tradição regionalista, do ponto de vista administrativo. Pensa que este fenómeno se deve ter em conta para o actual debate sobre a regionalização?

Entre nós, mesmo as regiões geográficas identificadas pelas condições de posição, clima, particularidades da natureza e solo e marca humana, não nos conduziriam a divisões suficientemente precisas. Deixando de lado os Açores e a Madeira, com uma marca geográfica própria, se tivermos de repartir o Portugal Continental em regiões geográficas, como nos diz Orlando Ribeiro, «as divisões principais serão dadas pelo contraste entre as influências mediterrâneas e atlânticas e, nestas, pela sua atenuação com o afastamento do litoral».

A unidade de Portugal, que faz do nosso país uma das formações mais antigas e estáveis do mapa político mundial, confere à regionalização um carácter de organização territorial da descentralização do Estado, mais do que a identificação de regiões geográficas naturais. Do que se trata, por isso, e sem pôr em causa as idiossincrasias locais é, a meu ver, de reforçar a solidariedade entre as diversas terras e gentes de Portugal.

A regionalização deverá ter como matriz um princípio de solidariedade inter-regional e outro de participação livre. Ao encontro das «identidades naturais» e locais, a reforma constitucional da regionalização deve ser feita, com rigor e prudente flexibilidade, num processo aberto, continuado e participado. Eis o espírito com que me cumprirá estar receptivo às iniciativas que os órgãos competentes na matéria me vierem a apresentar.

A regionalização deverá consequentemente ser tudo menos fragmentação do Estado Unitário, tudo menos acréscimo de burocracia, tendo menos criação de novos centralismos ou recriação de mentalidades paroquiais em grande escala..

Esta importante reforma constitucional do Estado, inscrita na Constituição da República e nunca cumprida desde 1976, poderá constituir um importante marco na geografia da liberdade e solidariedade, entre as diversas partes e terras de Portugal. E, para isso. mais do que a emergência de uma divisão administrativa e territorial deverá constituir, fundamentalmente, um processo democrático, descentralizador e participativo de redistribuição de poderes do centro para a periferia.

Considera que a perda das colónias traz como consequência uma alteração da identidade nacional? Qual deve ser, na actualidade, a atitude de Portugal perante as antigas colónias?

Se o mito imperial soçobrou com a independência dos novos Estados de África, também emergiu a identidade de um Estado-Nação reconvertido à sua interioridade, prolongada para o centro europeu e que não perde a existência do seu humanismo universalista.

Não resisto à invocação de Eduardo Lourenço, quando este se refere ao fim da aventura imperial como um alívio para os portugueses, justificadamente orgulhosos por constatar a sua hiperidentidade sobrevivente: «a nossa dupla identidade de povo europeu não hegemónico e de povo, apesar disso, disseminado e supervivente no espaço imperial..., na complexa e secular aventura da Fenícia moderna que é Portugal, temperada pela «célebre bondade dos nossos costumes» ou simplesmente pela humanidade de um povo estruturalmente rural que nunca se encontrou fora de si quando no vasto mundo pôde cultivar a sua horta e o seu jardim pouco voltaireanos».

Portugal é agora, definitivamente, sem subterfúgios, um pequeno país europeu, num quadro de importância económica e geográfica, mas é, seguramente, no âmbito do seu diálogo e inserção civilizacional, dos mais africanos e latino-americanos dos países europeus.

Tendo-se definido no passado como «povo de mediação europeia com vocação universal» devemos, por isso, reencontrar-nos como charneira humanista e civilizacional do diálogo e da cooperação para o desenvolvimento com os países africanos de língua portuguesa e com o Brasil.

A partir daqui poderemos emergir para um momento de acrescida respeitabilidade universalista (que outros países da nossa dimensão como, por exemplo, a Suécia de Olof Palme, ganharam na influência internacional) ao serviço da paz, de progresso mundial e do desenvolvimento dos povos. E na disponibilidade para uma presença no mundo, e pelo mundo, na qual sempre nos realizamos sem perda da identidade profunda.

Que consequências pode trazer para a configuração da identidade nacional a actual desertificação do interior e o simultâneo colapso da agricultura portuguesa?

Os fenómenos da litoralização e da bipolarização do sistema de povoamento têm-se acentuado de par com o aumento das desigualdades intra-regionais. E esta tendência para o aumento das desigualdades no interior do próprio «território rural», tem sido assumido e estimulado por um modelo de desenvolvimento cuja rede de infraestruturas, equipamentos colectivos e incentivos a sectores produtivos da economia procura sobretudo responder a solicitações do mercado e as regras de competitividade externa, dissociados de objectivos de coesão territorial e social.

O abandono da agricultura e a acentuada segregação espacial das actividades económicas no quadro da integração europeia tem contribuído para a desertificação de zonas rurais com as inevitáveis perdas de tradições e culturas locais. Com os fenómenos da desertificação e crescente urbanização assiste-se a uma progressiva depreciação das identidades culturais radicadas nos hábitos, no trajo, nas comidas, nos cantares e nos modos de convivência inerentes ao gregarismo rural, ao mesmo tempo que se acentuam os fenómenos de «individualização dos consumos culturais da nova era tecnológica».

Por isso, a redefinição do nosso desenvolvimento tem que superar a segregação social do espaço e compreender que o segredo da unificação portuguesa radica na «variedade das combinações e matizes regionais».

Não podem continuar a resvalar neste sentido, por muito que uma lógica competitiva externa e global deprecie as nossas qualificacões agrárias específicas, lutando por um quadro de objectivos gerais de protecção do ambiente, equilíbrio social e povoamento de território e preservacão da identidade cultural.

Mas não creio que, apesar dessas perdas, que espero não se tornem irreversíveis, esteja em risco a essencialidade da identidade nacional. Ela radica mais fundo numa consciência nacional talhada pelo passado e por uma vocação que hoje pode assumir-se livremente no seu «humanismo cosmopolita».

Qual o peso que atribui ao relacionamento com outros povos na constituição de uma identidade nacional, especialmente face à Europa?

Socorro-me, uma vez mais, de Eduardo Lourenço, quando alude à necessidade de nos reconciliarmos connosco próprios na vivência europeia e diz: «nós, primeiros exilados da Europa e seus medianeiros da universalidade com a sua marca indelével, bem podemos trazer a nossa Europa à Europa».

Julgo que é bem esse o papel de Portugal, cumprida «a deriva atlântica» e ancorados agora na Europa e no seu interior sem perda de um sentido universal em que nos reconhecemos como passado, acção e sonho. «A comunidade de destino» com a Europa não se pode fazer à custa da perda da identidade profunda que é nossa e que vive e se recria com «as marcas da sua presença inscritas na terra de quatro continentes».

Ora, o percurso de uma sociedade europeia e de uma associação mais vasta entre os Estados-Nações europeus não se realiza pela construção de um modelo hegemonico, mas na busca de uma unidade que compreende o «génio da diversidade».

E como nos diz Edgar Morin, na busca de uma nova geopolítica há um paradoxo: «é preciso, ao mesmo tempo, preservar e abrir as culturas, o que, de resto, nada tem de inovador, pois na origem de todas as culturas, incluindo as que parecem mais singulares, há encontro, associação, mimetismo e mestiçagem» .

ÍNDICE